L'HEURE
DES FÉES

L'HEURE DES FÉES

Tome 1

Christelle Verhoest

Éditeur : François Doucet
Révision linguistique : L. Lespinay
Correction d'épreuves : Nancy Coulombe, Carine Paradis
Montage de la couverture : Tho Quan
Photo de la couverture : © Thinkstock
Mise en pages : Sébastien Michaud
ISBN papier 978-2-89667-234-9
ISBN numérique 978-2-89683-018-3
Première impression : 2010
Dépôt légal : 2010
Bibliothèque et Archives nationales du Québec
Bibliothèque Nationale du Canada

Éditions AdA Inc.
1385, boul. Lionel-Boulet
Varennes, Québec, Canada, J3X 1P7
Téléphone : 450-929-0296
Télécopieur : 450-929-0220
www.ada-inc.com
info@ada-inc.com

Diffusion

Canada :	Éditions AdA Inc.
France :	D.G. Diffusion
	Z.I. des Bogues
	31750 Escalquens — France
	Téléphone : 05.61.00.09.99
Suisse :	Transat — 23.42.77.40
Belgique :	D.G. Diffusion — 05.61.00.09.99

Imprimé au Canada

Participation de la SODEC.
Nous reconnaissons l'aide financière du gouvernement du Canada par l'entremise du Programme d'aide au développement de l'industrie de l'édition (PADIÉ) pour nos activités d'édition.
Gouvernement du Québec — Programme de crédit d'impôt pour l'édition de livres — Gestion SODEC.

Table des matières

Chapitre 1

L'arrivée

Je pense que je n'ai pas vécu avant d'aller habiter au manoir. C'est aussi simple que cela. Quand ma mère mourut, il n'y eut plus personne pour payer le pensionnat dans lequel je croupissais. Un jour gris de septembre 1943, je me morfondais sous le préau désert, sans penser au triste avenir qui me faisait signe, sans penser à rien.

Je passais distraitement mes doigts sur les aspérités du mur, lorsque sœur Marie-Angélique m'appela sèchement puis m'ordonna de la suivre dans le bureau de la Mère supérieure. J'eus à peine le temps d'ébaucher l'idée que, peut-être, j'allais enfin savoir à quoi m'attendre, que je me retrouvai face à un petit homme pâle aux cheveux gris coupés en brosse.

— Je suis maître Bernoux, le notaire de votre mère. Asseyez-vous, je vous prie.

J'obtempérai. Il cessa de me regarder pour tourner les feuillets de son dossier.

– Dans son testament, votre mère a souhaité vous confier à une personne extérieure, puisque vous vous retrouvez malheureusement sans aucun soutien familial.

Je soupirai discrètement, il poursuivit son exposé.

– J'ai contacté cette personne, qui se nomme Olivier de Lordremons. Ce monsieur est une connaissance de jeunesse de votre mère et de votre oncle. Il est médecin, ce qui est un gage de sérieux. Je lui ai expliqué votre situation délicate au téléphone et…

– Je ne vous le fais pas dire ! s'exclama la Mère supérieure en me jetant un coup d'œil assassin. Nous ne pouvons pas nous permettre…

– … votre situation délicate, et il accepte de vous accueillir sous son toit, continua le notaire, imperturbable.

– C'est une grande chance qui s'offre à vous ! intervint à nouveau la Mère supérieure. J'espère que vous saurez la saisir et remercier Notre-Seigneur pour ses bontés envers vous, Maria.

Je me retins de dire que je devais surtout remercier ce M. de Lordremons, parce que les serviteurs de Notre-Seigneur s'apprêtaient plutôt à me jeter dehors, sans ressources.

– M. de Lordremons habite la Bretagne, reprit le notaire. Il ne vous reste plus qu'à faire vos bagages, dire adieu à celles qui se sont occupées de vous ici, et à prendre le train pour lequel je vous ai réservé un billet. Des questions ?

Je hochai négativement la tête. Le notaire referma alors son dossier d'un geste sec. Un intense sentiment de joie s'était emparé de moi. J'allais quitter cet endroit où je me sentais si différente des autres filles, où je n'avais pas réussi à avoir une seule amie.

Une heure plus tard, je dévalais les escaliers, ma valise à bout de bras. Mes camarades me jetaient des regards étonnés ou désapprobateurs, certaines chuchotaient, d'autres ricanaient. Désormais, je m'en fichais. J'avais quinze ans et je commençais à vivre !

Je fus la seule à descendre à Saint-Rieg. Le trajet m'avait exténuée. Je n'avais pas pu dormir, je n'avais fait qu'imaginer ma nouvelle vie... les lieux et les gens qui l'animeraient.

Le soir tombait. Le contrôleur m'aida à descendre, puis je traversai rapidement la petite gare déserte. Le guichetier était assoupi derrière son comptoir en bois. À l'extérieur, une jeune femme blonde d'une vingtaine d'années attendait, appuyée contre la carrosserie d'une voiture de sport blanche. Je supposai que cette jeune femme était là pour moi.

– Bonsoir ! Tu dois être Maria Dorval ? s'écria-t-elle en confirmant mes soupçons.

J'acquiesçai, soulagée, et continuai d'avancer vers elle, en souriant un peu.

– Je suis Bleunvenn le Braz, l'intendante de M. de Lordremons, précisa-t-elle.

Une intendante ! Mon bienfaiteur avait une intendante ! Il devait être riche... Elle avait de l'allure, avec son tailleur blanc très bien coupé et son foulard de soie rose qui voltigeait autour de son cou.

Je serrai timidement la main qu'elle me tendit. De près, elle était encore plus belle, avec ses longs cheveux blonds, ses grands yeux verts et ses lèvres délicatement ourlées. À côté d'elle, de quoi avais-je l'air ?

– M. de Lordremons est vraiment désolé de n'avoir pas pu venir lui-même te chercher. Il avait beaucoup de patients à voir aujourd'hui, expliqua-t-elle.

Elle me prit ma valise, la déposa à l'arrière et me désigna le siège passager. Je m'assis sans pouvoir m'empêcher de m'exclamer :

– Quelle belle voiture ! C'est une MG…, dis-je, admirative.

– Oh, ce n'est pas la mienne ! D'ordinaire, je prends la Citroën, mais Yann a tendance à l'accaparer en ce moment. Yann est le neveu de M. de Lordremons, précisa-t-elle. Ce devait être terrible, cette pension, non ?

– Oh oui, dis-je, heureuse qu'elle partage les mêmes convictions que moi.

– Au manoir, tu suivras les mêmes cours qu'Ael, le fils de M. de Lordremons. Il a seize ans. Un an de plus que toi, si je ne me trompe pas ?

– En effet, j'ai bien quinze ans.

Bleunvenn conduisait habilement sans cesser de parler.

– Tu te sentiras bien au manoir, je pense. Les Allemands occupent l'aile ouest, mais ils sont assez discrets. Ils ne nous embêtent pas. Tiens, regarde, voici le manoir !

Elle me désigna une bâtisse majestueuse, grise et flanquée de deux ailes de chaque côté. Elle surplombait la mer et était accolée à un petit bois. Dans le soir tombant, la vue était magnifique. Époustouflante. C'était grandiose. Les tons bleu-gris de la mer étaient sublimés par le coucher de soleil.

Bleunvenn quitta ensuite la route principale pour s'engager dans un chemin bordé de haies et d'hortensias énormes, et elle se gara finalement au bout d'une allée sablonneuse qui amenait à la porte d'entrée. Elle prit ma valise, nous traversâmes un hall sombre et atteignîmes une salle immense, divisée harmonieusement en deux par une arche de pierre nue. On entendait des accords de piano.

À ma gauche, un sofa était entouré de deux profonds fauteuils en velours vieux rose. À droite, près d'immenses portes-fenêtres, je voyais de petits guéridons de bois sombre avec des photos de famille. Une table gigantesque trônait au centre, avec en son milieu un vase et son bouquet de roses rouges, juste en dessous d'un lustre en cristal. Les rideaux étaient ouverts sur la lumière douce du crépuscule orangé. Nous avançâmes vers l'autre partie de la salle, qui formait un salon à part entière. Derrière le piano noir posé sur un tapis persan très coloré, jouait un adolescent d'à peu près mon âge. Je m'arrêtai, subjuguée.

À notre entrée, le musicien stoppa net son morceau, se leva brutalement et s'écarta de l'instrument comme si nous dérangions. Il portait une chemise blanche, un pantalon sombre et des chaussures toutes en cuir, pas des galoches comme moi. Mon malaise s'accentua. Les traits de son visage étaient très beaux. Ses cheveux noirs mettaient en valeur des yeux clairs, mais j'étais trop loin pour en distinguer la nuance exacte. Il avait un nez droit, des pommettes saillantes, des lèvres un peu boudeuses et un teint très blanc. Je tombai immédiatement sous le charme en dépit de mon malaise et je sentis que mes joues devenaient cramoisies.

– Bonsoir, dis-je affable mais gênée.

L'adolescent eut un drôle de regard, il me contempla sans vraiment le faire. C'était assez déstabilisant. Puis il afficha un air agacé. Je regagnai ma coquille, peinée.

– Maria, intervint Bleunvenn, je te présente Ael de Lordremons. Ael, c'est Maria, la nièce d'Henri.

Le garçon se crispa davantage.

– Ael, continua Bleunvenn, tu pourrais au moins dire bonsoir, non ?

– Bonsoir. J'ai mal à la tête, je monte dans ma chambre.

J'évitai de montrer ma surprise : sa voix était étrange, rauque et cependant mélodieuse. Mais ses accents étaient froids. Le cauchemar de la pension recommençait. Il ne m'aimait pas, d'instinct. Il contourna le piano, une main en avant, et sortit par la porte du fond. Bleunvenn soupira.

– Il est comme ça avec tout le monde. Il n'a rien contre toi en particulier. Il a un caractère effroyable depuis l'accident.

Je la regardai, mais elle ne m'expliqua pas ce qu'elle entendait par « l'accident ». Je n'osai pas demander. Elle ferma les rideaux et alluma le grand lustre.

– Suis-moi, je vais te montrer ta chambre, Maria. Oublie Ael, il va se calmer.

Elle reprit ma valise et je la suivis. Je regardai à droite, à gauche, mais il n'y avait plus trace d'Ael et j'en fus soulagée. Le couloir était sombre, mais cela ne semblait pas gêner Bleunvenn, qui ne marquait aucune hésitation. Je me dépêchai pour ne pas la perdre dans les dédales de cette immense demeure. Je butai soudain en plein sur quelqu'un.

– Ouh là ! Tu as l'air bien pressée ! s'exclama une voix jeune et masculine.

Une main prit la mienne et me tira vers une applique murale qui diffusait une lumière faiblarde.

— Je parie que tu es Maria ! Tu étais très très attendue ! s'écria la voix avec jovialité.

Je levai les yeux vers un jeune homme de dix-huit ou dix-neuf ans, qui ressemblait étonnamment à Ael. Il avait les mêmes cheveux noirs, les mêmes yeux clairs, mais des traits plus carrés et une expression plus ouverte.

— Tu dois être Yann ? demandai-je.

— Exact ! Yann de Lordremons, étudiant à la Sorbonne en temps normal, mais pris depuis peu d'une envie irrésistible de congés sabbatiques. Je vais être tout à toi !

— Tu ressembles beaucoup à Ael, repris-je.

— Tu l'as vu ? Alors tu as remarqué que je suis beaucoup plus sociable que mon cher cousin. Nous nous ressemblons juste physiquement.

Il se pencha vers moi, une expression malicieuse dans les yeux.

— Veux-tu que je te dise un secret ?

Je ne pus m'empêcher de m'écarter de lui, méfiante.

— Le manoir est hanté, chuchota-t-il.

Je m'efforçai de lui jeter un regard noir avant de m'échapper et de rejoindre Bleunvenn, je ne sais comment.

— Où étais-tu ? me demanda Bleunvenn en ouvrant une porte.

– Il essayait de me faire peur, accusai-je en désignant Yann, qui m'avait suivie.

– Yann ! le morigéna la jeune femme. Maria vient d'arriver ! Entre la grossièreté d'Ael et tes plaisanteries douteuses, elle va avoir envie de repartir, la pauvre !

Pour aller où ? pensai-je.

Face à la remarque de Bleunvenn, Yann haussa les épaules et me sourit à pleines dents.

– Ta chambre te plaît-elle ? Regarde, demanda-t-il en changeant de sujet.

Je jetai un coup d'œil par l'embrasure, avant d'entrer carrément. La pièce était grande, carrée, et le lit massif à baldaquin occupait le centre. Les tentures vert sombre étaient relevées : elles ne devaient plus servir depuis longtemps.

Un coffre, fabriqué dans le même bois sombre et rustique que celui du lit, attendait que j'y mette mes affaires. Le papier vert des murs accueillait quelques tableaux, principalement des scènes de tempête ou de naufrages. Brrr….

Yann vint s'installer dans l'un des deux fauteuils, recouverts eux aussi de tissu vert.

– Il paraît que c'est la chambre que ta mère avait toujours quand elle passait des vacances ici, dit-il. Elle l'aimait beaucoup.

Cette remarque ne provoqua chez moi aucune peine, plutôt de la tendresse pour cette pièce.

— J'espère que le fait de parler de ta mère ne te rend pas triste, ajouta-t-il, presque penaud.

— Pas du tout, rassure-toi, répondis-je.

— Je voulais juste te faire savoir que cette demeure est la tienne, que tu es ici chez toi comme l'était ta mère, dit-il en se raclant la gorge.

Il me contemplait, un pli soucieux au front, le regard assombri.

— Tout va bien, dis-je. Je préfère quand tu plaisantes, du coup.

Ma dernière phrase fit rire Bleunvenn.

— Tu rangeras tes affaires plus tard, ajouta-t-elle, le repas sera bientôt prêt, il faut redescendre.

En bas, elle se dirigea vers la cuisine (des bruits de vaisselle me parvenaient) et Yann m'entraîna vers la salle. À peine étions-nous installés autour de la grande table ovale que l'on frappa. Le nouveau venu arborait un élégant costume gris perle, aux plis impeccables. Ses cheveux blond cendré étaient pommadés et il fumait. Il pouvait avoir de vingt-cinq à trente ans, pas plus.

— Bonsoir, lieutenant Weiss, dit Yann. Je vous présente Maria. Vous savez, mon oncle vous avait parlé d'elle.

— En effet, je me souviens très bien. Mademoiselle, dit le lieutenant en s'inclinant légèrement devant moi.

Je tremblais. Un allemand !

– Ma cigarette vous ennuie-t-elle, mademoiselle ? demanda-t-il sans une pointe d'accent.

– Non, bredouillai-je, gênée qu'on m'accorde tant d'importance, apeurée aussi.

Il alla s'installer dans l'un des fauteuils et tira une longue bouffée.

– C'est bientôt l'heure du repas et votre oncle ne va plus tarder. Je ne vais donc pas vous déranger longtemps, commença-t-il.

– Je connais votre sens des convenances, répliqua Yann, affable.

Je distinguai parfaitement son ton moqueur. L'Allemand avait donc certainement saisi la provocation, lui aussi. Je me raidis.

– Vous aimez jouer avec les nids de guêpes, Yann.

– Quand j'avais sept ans, j'ai donné un coup de pied dans l'un de ces nids. J'ai reçu dix piqûres sans éprouver le moindre malaise.

Le lieutenant Weiss écrasa son mégot dans une coupelle, posée sur le guéridon d'à côté.

– Et avez-vous réédité cet exploit ? s'enquit-il.

– Pas avec le même genre de guêpes, fit Yann en esquissant un sourire.

– Je continuerais bien ainsi, dit Weiss, mais j'étais venu vous demander un service.

– Je vous en prie, répliqua Yann avec le même ton moqueur.

— C'est un service assez délicat. Je compte recevoir des amis vendredi soir dans la salle de réception. Je me demandais si le jeune vicomte accepterait de jouer du piano. Vous pourriez lui en parler.

— C'est à Ael qu'il faut s'adresser.

— Mais si vous pouviez intercéder en ma faveur auprès de lui, je vous en serais très reconnaissant. Le jeune vicomte a un caractère assez… entier, et si cela venait de vous… Bien sûr, vous êtes invité, vous aussi.

— Oh moi, en soirée, je suis un ours, répliqua Yann. Je marche sur les pieds des demoiselles et j'ai tendance à postillonner fâcheusement sur leur décolleté.

— Parlerez-vous à votre cousin ?

— Est-ce un ordre ?

— À vous de juger.

— Ael est parti se coucher. Je lui en parlerai demain matin, répondit Yann.

— Merci infiniment. (Weiss se tourna ensuite vers moi). Je suppose que vous ne deviez pas porter de robe de soirée, dans votre pensionnat. Je vous en ferai parvenir une le plus tôt possible. J'ai déjà des idées sur ce qu'il vous faut.

Je demeurai bouche bée. Je venais à peine d'arriver et j'étais déjà propulsée dans le grand monde, ou ce qui y ressemblait le plus pour moi.

— La soirée aura lieu vendredi, rappela Weiss.

— Ael n'a pas encore accepté, hasarda Yann.

– Il acceptera, grâce à vous. Je vais me retirer en vous priant de m'excuser pour le dérangement.

Il se releva, s'inclina à nouveau devant moi, adressa un bref salut de la tête à Yann et sortit. Alors Yann bondit de sa chaise et lança dans le vide des coups de poing rageurs.

– Arrêtez ça, vous allez renverser ma soupière, coassa une vieille femme qui entrait au même instant.

Sa peau était parcheminée, avec un air revêche sous sa coiffe traditionnelle.

– Ce serait dommage, en effet, dit Yann en plongeant le nez dans le récipient ; ça sent bon. Vous êtes une fée, Soaz.

– C'est de la soupe au lard, lâcha la vieille femme en posant la soupière fumante sur la table.

Puis elle releva ses yeux farouches vers moi.

– Alors c'est toi, Maria ? Ils ne te nourrissaient donc pas, dans ton pensionnat ? Tu es toute maigrichonne. Mais tu ressembles beaucoup à ta mère, pour sûr. En plus renfermée...

– Bonsoir ! coupa une voix claire et douce. On dirait que j'arrive au bon moment.

Olivier de Lordremons venait d'entrer, du moins je supposais que c'était lui. Bleunvenn le suivait. Je le dévisageai, avide de connaître celui qui avait bien voulu m'accueillir. Il avait la trentaine, les mêmes cheveux noirs et les mêmes yeux clairs que les deux autres Lordremons. Sa beauté était cependant plus sereine que celle d'Ael et plus douce que celle de Yann. Sa physionomie nous mettait tout de suite à l'aise.

Il posa sa sacoche en cuir dans l'un des fauteuils et vint à moi, mains tendues.

– Maria, je suis heureux de te voir arrivée à bon port ! s'écria-t-il en me serrant contre lui. Puis il me relâcha, tandis que je me sentais gênée, peu habituée à de telles démonstrations de tendresse et d'affection. Il m'observait en souriant.

– Ce grand bêta de Yann ne t'a pas trop ennuyée, j'espère ? Sinon, je le renvoie à Paris. Ma sœur Anna, sa mère, sera fâchée de le retrouver si tôt, mais tant pis.

Yann afficha un air de victime. Olivier continuait de me regarder avec bienveillance.

– As-tu découvert le manoir ? Te plaît-il ?

– Oui, beaucoup, articulai-je enfin.

Il s'installa face à moi.

– Ton voyage s'est bien passé ?

– Oui.

Ses yeux clairs aperçurent soudain la place vide près de Yann.

– Où est Ael ?

– Monsieur a la migraine, répondit Yann en levant les yeux au plafond.

– Il ne mangera pas ce soir, ajouta Bleunvenn.

Une ombre voila le regard doux de mon bienfaiteur.

— Je te demande de l'excuser, Maria, dit-il. Il ne t'a pas réservé un bon accueil mais ça n'a rien d'une attaque personnelle.

— Je sais, Bleunvenn m'a prévenue, répondis-je. Ce n'est rien, rien du tout, assurai-je en détournant les yeux.

Le repas se déroula dans le calme et les conversations tournèrent autour de ma personne : ma vie au pensionnat, mes études, mes goûts, ma mère. Je répondais timidement, peu habituée à être le centre de toutes les attentions. En pensée, je fis un triste constat. Nous avions eu, ma mère et moi, peu de souvenirs joyeux en commun. Peu de souvenirs tout court.

Ce soir-là, mon premier soir au manoir, je me couchai exténuée par le voyage, mais agitée par une foule de nouvelles sensations. Ma nouvelle vie commençait plutôt bien. Excepté Ael, tout le monde était gentil. Le manoir aussi me plaisait. Même si les Allemands qui y logeaient m'effrayaient. Je dormis d'un sommeil sans rêve, lourd et profond. Et n'en déplaise à Yann, rien ni personne ne vint me hanter.

Chapitre 2

La découverte

Lorsque je descendis le lendemain matin, je parvins jusqu'à la salle à manger sans me perdre, un exploit ! Un grand soleil caressait les meubles et la table préparée pour le petit déjeuner. Je me sentais à l'aise. Étant donné que j'avais un peu honte de mes habits si vieux et usés à côté des leurs, j'avais enfilé ma tenue du dimanche : un gilet blanc, un chemisier avec des petites fleurs (taché mais cela ne se voyait pas grâce aux pans du gilet) et ma jupe bleu marine.

Bleunvenn allait et venait, disposait bols et tasses, théière, cafetière et pain, qu'elle plaça près du pot de confiture. À la campagne, le rationnement était manifestement moins visible qu'en ville. Bleunvenn me sourit, je m'installai en lui rendant son sourire.

— As-tu bien dormi ? me demanda-t-elle.

— Très bien ! m'exclamai-je.

À cet instant, Olivier fit son entrée, suivi de son fils. Olivier me salua gaiement. L'adolescent rejoignit sa chaise, face à la mienne, en silence. Il portait une chemise blanche et un pull crème qui mettait en valeur ses cheveux sombres. La lumière matinale jetait un éclat particulier dans ses yeux dont j'apercevais maintenant la couleur : ils étaient presque violets, d'une nuance à mi-chemin entre le bleuet et le myosotis. Des yeux comme je n'en avais jamais vu, étranges et magnifiques, frangés de longs cils.

À l'instar de la veille, Ael me regarda bizarrement, comme s'il essayait de voir au-delà de mon apparence. Étais-je laide à ce point-là, pour lui ? Je me sentis rougir violemment. Bleunvenn lui servit du thé et Yann entra à son tour au même moment.

— Bonjour tout le monde ! Ael, puisque tu nous honores de ta compagnie, laisse-moi t'informer que Konrad Weiss souhaiterait te voir jouer du piano vendredi soir pour ses invités, dit-il.

— Je refuse. Hors de question, dit aussitôt Ael de son étrange voix rauque et en redressant la tête.

Son père prit du café et observa longuement le garçon. Ael avait rabaissé la tête et se mordait la lèvre inférieure. Bleunvenn poussa une tartine beurrée sous la main de l'adolescent, qui s'en saisit pour n'en manger qu'une minuscule bouchée, avant de la rejeter.

— Je ne veux pas être le petit virtuose du lieutenant Weiss, son petit prodige à exhiber en soirée, bougonna-t-il, en reposant sa tasse.

— Tu pourrais jouer pour toi, pour savoir ce qu'est un public, c'est tout.

— Je n'ai pas besoin de celui-là, coupa Ael très sèchement.

— Je dois y aller, je suis déjà en retard, soupira Olivier en se levant. Bonne journée à tous. Réfléchis-y quand même, Ael.

Il pressa l'épaule de son fils, m'adressa un sourire et s'en alla. Ael se leva à son tour.

— Tu n'as pratiquement rien mangé ! protesta Bleunvenn.

— Je vais prendre l'air, grommela le garçon.

— Couvre-toi et prends ta canne.

— Tu as vraiment besoin de le préciser devant elle ? cria-t-il si fort que je sursautai.

— Ne crois-tu pas que Maria va finir par s'en apercevoir ? répliqua Bleunvenn. À moins qu'elle ne le sache déjà.

Mais de quoi parlaient-ils ? Cette façon de m'observer... la main toujours en avant... le pain préparé... la canne... Ael avait-il un problème aux yeux ? Que j'étais bête !

Surprise, je faillis m'étrangler avec ma dernière bouchée, qui passa de travers. Je toussai, pleurai, crachai. Bien sûr, Yann éclata de rire au lieu de me secourir. Enfin, je parvins à respirer de nouveau normalement. Je voulus vérifier, regarder Ael, découvrir son infirmité mais il avait déjà tourné le dos. Il claqua la porte avec violence.

– Que ce garçon est pénible ! soupira Bleunvenn. Yann, peux-tu le suivre ? On ne sait jamais.

– Ne te dérange pas, Yann, dis-je. J'y vais.

– Es-tu sûre, Maria, de vouloir veiller sur lui ? s'enquit Bleunvenn, l'air inquiet.

– Oui. J'en profiterai pour découvrir la lande.

Deux minutes plus tard, emmitouflée dans ma vieille cape, je poussai la porte d'entrée. En coupant par le sentier du petit bois, je marchai d'un pas alerte vers la mer. C'était le chemin le plus logique.

Je me sentais libre comme jamais : plus de hauts murs, mais l'eau bleu métallique à l'infini, les rochers escarpés, l'herbe ondulante, l'écume blanche qui venait caresser le sable pâle, là, en bas... Pour un peu, j'en aurais crié, moi si discrète !

J'allai ainsi pendant près de cinq minutes, dans l'arôme puissant des embruns, mais sans trouver Ael. Je longeai la falaise, passai près d'un amas de pierres rondes surmonté d'une croix. Puis je l'aperçus, plus bas. Comment avait-il fait pour descendre tout seul la falaise ? Mon cœur s'accéléra. J'avais le vertige.

Cinq écueils bruns montaient la garde au milieu de l'océan bleu-vert. Je détournai les yeux, pris une profonde inspiration et j'entrepris une descente prudente, priant de toutes mes forces pour ne pas me rompre le cou et m'écraser en pièces détachées dix mètres plus bas. Ce garçon était fou ! Le vent hululait dans mes oreilles et glaçait mes joues. Enfin, je sautai sur le sable, près de lui. Aussitôt, il s'éloigna de quelques pas.

– Dis donc, toi, criai-je, tu pourrais être plus aimable ; j'ai failli me tuer en venant te chercher ici !

La colère effaçait ma timidité. Il était tourné vers le large, décoiffé, les joues rougies. Il était vraiment très beau. Mais ses yeux étaient trop fixes.

– Je ne t'ai rien demandé, dit-il.

– Me traites-tu mal parce que ça te fait plaisir ou parce que tu ne voulais pas que je sache, pour... tes yeux ? ripostai-je, le cœur lourd.

Il se contenta de ricaner et haussa les épaules. Je me retins de pleurer. Je ne voulais certainement pas lui offrir ma peine en guise de reddition. Il ne gagnerait pas à ce petit jeu. Je m'y refusai.

– J'imagine que ce sont les deux, décrétai-je, d'une voix plus assurée.

Il revint vers la falaise, prit appui sur un rocher et, d'un bond surprenant, entreprit d'escalader ce que j'avais eu tant de peine à descendre. Quel charmant personnage ! J'étais désormais très en colère, parce que je me sentais rejetée. Comme avec les autres, au pensionnat. Lorsque nous arrivâmes au manoir, Yann nous attendait, assis sur les marches.

– Alors ? lança-t-il. As-tu profité de ta promenade pour changer d'avis, Ael ?

– S'il te répond, tu auras de la chance, m'écriai-je.

Je rentrai sans refermer la porte pour me jeter sur un des bancs entourant la table de la cuisine. Je mis ma tête sur mes genoux, fermai les yeux pour me calmer.

– On dirait que tu as été odieux avec Maria, entendis-je.

– Je n'ai pas envie de lui parler. Elle ne m'intéresse pas. Et j'ai déjà dit que je ne voulais pas aller à la soirée. On dirait que ça t'amuse de pousser les autres à y aller, dit la voix d'Ael.

– Eh bien oui, je l'avoue.

– Quand les gens se réunissent, je préfère être seul.

– Je n'aime pas la solitude, décréta Yann.

– Moi si. Elle va avec le noir, avec mon obscurité. Elle me rassure. Un jour, tout seul, j'arriverai à une falaise et…

Je relevai la tête, prise d'un doute. Cet idiot aurait-il sauté si je ne l'avais pas suivi ?

– Je refuse de te prendre au sérieux, répliqua Yann, avec une note sourde dans la voix.

Je me levai alors et regagnai la porte entrouverte. Ael affichait un mauvais sourire et Yann serrait les lèvres. Ael fit un geste pour entrer et je m'écartai vivement pour le laisser passer. Je crus distinguer des larmes au bord de ses yeux. Comme s'il me voyait, je baissai les miens lorsqu'il me croisa.

Chapitre 3

Une rencontre

« Elle ne m'intéresse pas ». Ce soir-là, cette petite phrase cruelle me trotta dans la tête jusqu'à ce que je m'endorme, les joues mouillées de larmes, dans mon grand lit vert. Le lendemain matin, j'étais triste et d'humeur renfermée. Bleunvenn était seule dans la salle à manger, et je m'en trouvai soulagée. J'allais pouvoir prendre mon petit déjeuner tranquillement, sans être troublée par la détestable présence d'Ael.

– Nous nous retrouvons seules toutes les deux, constata gaiement Bleunvenn. M. le Comte est parti de très bonne heure et Yann a pris la voiture de sport. Ael l'a accompagné, ce qui est plutôt surprenant de sa part.

C'est pour me fuir, pensai-je aussitôt avant de me raviser : je n'étais sans doute pas aussi importante que cela. On ne fuit pas les gens insignifiants. Bleunvenn but une longue gorgée de thé.

– Nous aussi, nous allons nous promener, ajouta-t-elle enfin. M. de Lordremons m'a confié de l'argent pour refaire ta garde-robe.

Je relevai la tête, surprise.

– Ne te vexe pas, Maria, mais elle en a bien besoin. Nous l'avons tous remarqué. Ce n'est pas de ta faute, tu sais...

Donc peu après, nous prîmes la Citroën 15 CV pour aller en ville. Bleunvenn me montra les remparts de Saint-Thomas avant de m'entraîner vers une boutique assez chic. Je ne pipais mot, toujours aussi abattue. Tout en me guidant vers les tissus qui lui plaisaient, Bleunvenn m'expliqua que Soaz était une excellente couturière, avec une machine bien sûr, mais aussi et surtout à la main pour les ouvrages les plus délicats, et qu'elle me ferait de jolies robes.

Bleunvenn me donnait son avis (éclairé), mais elle me laissa choisir les matières et les coloris qui me plaisaient. J'en oubliai ma peine. J'arrivai même à sourire. J'optai pour trois gilets de très bonne qualité pour le quotidien (deux noirs, un bleu marine) et je succombai pour un quatrième, vert pâle, rebrodé sur les manches et au col, que je me réservai pour le dimanche. Je craquai pour une paire de souliers vernis, là encore pour le dimanche ou les grandes occasions. Je décidai de porter au quotidien les chaussures que je réservais actuellement pour le dimanche. Je me refusai à profiter trop librement des largesses de mon bienfaiteur, par principe.

Bleunvenn insista pour que je prenne de quoi faire au moins cinq robes et une jupe, plus une cape en laine chaude et épaisse. C'était ce qu'elle appelait un strict minimum. J'étais étourdie : quelle somme le tout devait-il représenter !

Quand nous revînmes au manoir, Soaz m'accapara aussitôt. Nous passâmes la soirée à déplier, replier, couper et disposer les tissus. Je mangeai à la cuisine en sa compagnie, puis nous reprîmes notre couture. Je ne vis donc aucun des habitants du manoir, Bleunvenn et Soaz exceptées.

Le lendemain, je pris mon petit déjeuner toute seule. Bleunvenn elle-même n'était pas là. Alors, après une matinée dédiée à la couture en compagnie d'une Soaz aussi peu loquace que la veille, je décidai de m'aérer en allant faire un tour au petit village de Saint-Rieg. Je descendis jusqu'au port sans rencontrer personne. De toute façon, l'étrangère que j'étais n'avait aucune envie d'être impitoyablement dévisagée. Seule une vieille femme, qui jetait le contenu d'un seau dans son allée, m'observa un bref instant avant de retourner à l'intérieur de son logis.

Soudain, près des pontons, je vis un adolescent courir à toute allure dans ma direction. Il ralentit, me dévisagea et reprit sa course. J'avais eu le temps d'apercevoir une tignasse auburn et des yeux clairs, avant qu'il disparaisse derrière une pile de casiers encombrés de filets. Un homme de grande taille surgit à son tour en brandissant le poing.

– Je te tue si je te mets le grappin dessus, tu peux y compter !

Un autre pêcheur, plus âgé, qui transportait une caisse pleine de poissons, l'apostropha :

– Qu'est-ce qu'il a encore fait, ton gamin, Abgrall ?

– À ton avis ? Il s'est défilé au lieu de m'aider, comme d'habitude !

L'autre s'esclaffa. Cependant, le dénommé Abgrall s'était arrêté à mon niveau et me regardait d'un air que je jugeai peu amène, méfiant. Gênée, je tournai les talons au plus vite. Je sortis rapidement du village et je regagnai la lande. Brusquement, le garçon aux cheveux auburn jaillit de derrière un rocher. Je poussai un cri et je bondis en arrière.

– Désolé, je ne voulais pas te faire peur, affirma-t-il en riant.

– Tu as l'air désolé, en effet ! Évite de surprendre les gens, protestai-je. Ton père est loin, tu n'as plus besoin de te cacher.

Il rit à nouveau. Il avait un air agréable et des yeux verts pétillants dans un visage aux traits fins. Il était plutôt beau garçon.

– Tu viens d'arriver au manoir, n'est-ce pas ? questionna-t-il en souriant.

— Les nouvelles vont vite, grinçai-je.

— Saint-Rieg est un très petit village où tout le monde est au courant de tout très vite, en effet. Deniel Abgrall, ajouta-t-il en me tendant sa main fine brunie par les embruns.

— Maria Dorval, répliquai-je, en lui tendant la mienne.

— Je sais, s'esclaffa-t-il en la serrant. Tu t'adaptes bien ?

— Tout le monde fait ce qu'il peut pour que je me sente bien, dis-je prudemment.

— Même Ael ? C'est étonnant de sa part.

— Tu le connais ? m'étonnai-je.

— Oui. Nous jouions ensemble quand nous étions petits. Ma mère faisait le ménage au manoir à l'époque. Il a toujours eu un sacré caractère, et ça ne s'est pas arrangé du tout après l'accident.

— Le fameux accident. Peux-tu éclairer ma lanterne ?

— On ne t'a rien expliqué, au manoir ?

— Non, pas vraiment. On parle juste de « l'accident ». Que s'est-il passé ?

— Ael a été blessé dans l'accident de voiture qui a tué sa mère.

— Oh.

— Ma mère aussi est morte, dit Deniel, alors je peux le comprendre.

Je ne savais plus quoi dire. Nous étions tous les trois privés de mère. Deniel s'ébroua comme un jeune chien mouillé, pour chasser la tristesse, certainement.

– Tu es jolie, constata-t-il de façon très abrupte. Tu as les cheveux roux foncé des filles d'ici. Comme une vraie Bretonne, hein !

– Mais je suis née ici, affirmai-je fièrement. Seulement je suis partie il y a si longtemps que je ne me souviens de rien.

– Tu me plais.

Je me sentis rougir. Je le fixai et je constatai qu'il s'était troublé lui aussi. Il mit ses mains dans ses poches en essayant d'afficher un air décontracté. Je n'étais donc pas qu'une maigrichonne à ses yeux.

– Tu es sacrément direct, dis-je. Tu es toujours comme ça avec les filles ?

– Non. Oh bien sûr, mon père te dirait que je suis de la mauvaise graine, mais…

– Mais ? repris-je.

– Rien, il faut que je file ! Mais je te promets qu'on va se revoir ! À bientôt !

Et vif comme l'éclair, il me planta là. J'étais éberluée mais contente. Lui au moins ne me rejetait pas. C'était même le contraire.

Chapitre 4

La soirée

Le lendemain, vendredi, fut une autre journée consacrée à la couture. Tout au long de la journée, je pensai que Deniel pourrait devenir un bon ami. J'en avais besoin, car je voyais trop peu les autres habitants du manoir et je me sentais très seule. Un lourd sentiment de tristesse engourdissait mes membres et ma tête. De plus, apprendre ce qui était arrivé à Ael avait été choquant. En fait, je ne lui en voulais presque plus de sa méchanceté envers moi. Un triste destin l'avait frappé.

L'après-midi, je me promenai, seule évidemment, sur la lande. Je m'attardai. Je pleurai même un peu. Je ne pouvais pas regretter mon ancienne vie, mais la nouvelle commençait à prendre une tournure qui ne me plaisait guère plus.

Quand je remontai dans ma chambre, je ne pus m'empêcher de crier, tant la surprise fut grande : Ael était là. Il était debout près de mon lit. Je demeurai muette, examinant ses cheveux noirs, ses yeux étranges et saisissants et la forme ensorcelante de ses traits. Je remarquai ensuite la robe bleue posée sur le couvre-lit vert surpiqué.

– Le lieutenant Weiss t'a fait porter une robe il y a une heure, dit-il enfin de son étrange voix rauque.

– Je la vois, répliquai-je. Et toi ? Que fais-tu dans ma chambre ? Je croyais que je ne t'intéressais pas, fulminai-je.

Mon cœur tambourinait dans ma poitrine. Mon propre courage me sidérait. Je le vis respirer un peu plus fort, les lèvres entrouvertes. La perfection de son visage était quasi inhumaine. À nouveau, je me sentis rougir, détestable impression.

– Dans ce cas, lâcha-t-il comme à regret, je te demande pardon pour être entré sans ta permission. Je sentis l'effort que cela lui avait coûté. Je ne savais pas si je devais m'adoucir ou me montrer encore plus en colère.

– De quelle couleur est-elle ? continua-t-il.

– Elle est bleue. Un bleu très clair, répondis-je, prise au piège.

Il avait dévié la conversation, je ne pouvais plus laisser libre cours à mon ressentiment. Du moins en avais-je l'impression. Je serrai les poings.

— Ce soir, j'irai à cette fichue soirée et je jouerai, annonça-t-il tout de go.

— Tu as donc changé d'avis, constatai-je bêtement.

— Comment est-elle exactement, ta robe ?

— Tu ne la vois donc pas du tout ?

— Pas du tout, renchérit-il.

Je l'observai un court instant. Mais il baissa la tête au moment où j'essayai de sonder ses yeux violets.

— Elle est très bien coupée, dis-je. Ma propre mère n'aurait jamais eu les moyens de m'en offrir une semblable. Elle n'en aurait pas vu l'utilité, de toute façon. Et moi non plus.

— La mettras-tu ? Viendras-tu ?

— Je n'en ai pas trop envie, avouai-je.

— Tu fais désormais partie de la famille. Si nous y allons tous, tu dois venir toi aussi.

— Jusqu'ici, tu ne m'as pas donné l'impression que je faisais partie de ta famille, grinçai-je, en ayant envie de le gifler très fort.

— J'en suis navré. Désolé.

— Je suis sûre que tu ne l'es pas. Pourquoi as-tu changé d'avis, pour la soirée ?

— Je change tout le temps d'avis, d'humeur...

— Je m'en souviendrai, ricanai-je.

Il fit demi-tour, d'une façon leste et gracieuse. Des sentiments multiples et contradictoires m'agitaient.

— Je vais te laisser. À ce soir, conclut-il.

Je ne répondis pas. Je ne voulais pas lui répondre. La porte se referma doucement et je me laissai tomber sur mon lit, près de la robe. Je fermai les yeux et soupirai longuement.

J'avais peur de cette soirée. Je n'étais pas habituée au monde, aux gens. Et je me méfiais d'instinct, n'ayant jamais été bien accueillie en général. Et puis, c'était l'ennemi, les Allemands...

Lorsque j'entrai dans la salle de réception, vaste pièce située entre nos quartiers et ceux occupés par les Allemands, je n'en menais pas large. Dans cette robe, j'avais l'impression d'être étrangère à mon propre corps. J'avançai entre les colonnes de granit, sur le carrelage blanc et noir. Je cherchai aussitôt les habitants du manoir que je connaissais, afin de m'accrocher à leur présence comme à une bouée de sauvetage. La terreur montait doucement mais sûrement en moi. Il y avait, je pense, une vingtaine de personnes déjà présentes, autant d'hommes que de femmes, mais ils me paraissaient être une centaine. J'avais envie de vomir.

— Bonsoir, chuchota une voix à mon oreille.

— Yann ! ai-je failli crier, tant j'étais soulagée.

— Tu es très bien, Maria. Très jolie. Et même plus que cela. Sois sans crainte.

Je lui souris. Il portait un élégant costume noir, une chemise blanche bien sûr, et ses cheveux étaient lissés en arrière.

— J'ignore comment me comporter, avouai-je.

Il me prit par le bras et m'entraîna vers le fond de la salle.

— As-tu peur de tous ces officiers allemands ? me demanda-t-il doucement.

— J'ai peur du monde en général, avouai-je à nouveau. Et d'eux aussi, oui.

Il me pressa la main sans un mot. C'est le moment que choisit Weiss pour venir à notre rencontre. Il était toujours aussi élégant, en costume noir lui aussi.

— Je suis heureux de constater à quel point cette robe vous va à ravir, murmura-t-il, comme sur le ton de la confidence.

— Jamais je n'avais porté quelque chose d'aussi beau, bredouillai-je. Je vous remercie beaucoup.

— Venez, dit Weiss, je vais vous présenter.

Yann s'empara de mon bras, fermement, et nous nous rapprochâmes d'un groupe de personnes. Je ne retins aucun nom. J'évoluais dans un brouillard tenace. Comme je tentais d'en sortir, j'aperçus Olivier, qui me lança, (me semble-t-il), un sourire d'encouragement.

Un brin rassurée, je perçus enfin la musique, et elle retint toute mon attention. Fluide, légère, merveilleuse. J'essayai de trouver le piano. Enfin, je le vis. Derrière l'instrument, Ael paraissait absent. Même sans y mettre toute son âme, il jouait divinement. Je comprenais pourquoi Weiss avait insisté pour obtenir sa présence.

Ael penchait la tête d'une façon particulière, ce qui me troubla. Jamais je n'avais vu un visage d'adolescent aussi beau que le sien. Et jamais je n'avais été témoin d'une personnalité aussi irritante que la sienne. Oui, l'ensemble était irritant… et attirant au possible.

– Je suis sûr que vous en connaissez beaucoup, dit Weiss.

Je revins à la réalité. Le lieutenant me contemplait d'un air intrigué, et Yann d'un œil amusé. Je me sentis rougir, une fois de plus.

– Je peux vous raconter celle des quarante brigands, ajouta Yann, très vite. C'est une pure légende bretonne.

– Comme les quarante voleurs d'Ali Baba, dans les Mille et une Nuits ? s'enquit un gros homme en uniforme et aux joues rubicondes.

– Nous vous écoutons, Yann, dit Weiss, souriant.

Je fus incapable d'écouter, droite et raide, guettant les regards qui se poseraient sur moi. Une femme aux cheveux châtain crantés me sourit. Ensuite, Yann me remit une coupe après avoir achevé son conte. J'avalai son contenu d'un trait, tant la soif m'avait desséché la gorge.

– Hé là, pas si vite ! C'est de l'alcool ! protesta Yann, affolé.

La tête me tourna, une furieuse envie de dormir s'empara de moi. Je me laissai aller en arrière sans pouvoir me retenir et Yann me bloqua le dos de sa main droite. La musique s'arrêta. Je ris.

— Si je ne te tenais pas, tu tomberais, affirma le jeune homme.

Je tentai de protester et je me dégageai pour faire trois pas mal assurés, sans cesser de rire. Que la vie était belle soudain ! J'écartai les bras.

— C'est normal, elle n'a jamais dû boire, dans son pensionnat, dit une voix rauque que j'aurais reconnue entre toutes.

Je me retournai brusquement et me cognai contre Ael. Il était accompagné de Bleunvenn qui souriait gentiment.

— Ma pauvre petite Maria ! s'exclama-t-elle, compatissante.

— Yann, demanda Ael, peux-tu prendre ma place ? Je suis fatigué de jouer. Bleunvenn, peux-tu l'accompagner ? Je vais rester avec Maria.

Ahurie, je le dévisageai. Qu'est-ce qui lui prenait, de vouloir rester avec moi ? Yann s'éloigna comme à regret, et Bleunvenn le suivit après un instant d'hésitation, non sans m'avoir jeté un coup d'œil inquiet. Ma colère se ranimait, éteignant mon rire.

— Te sens-tu mieux ? Est-ce que ça passe ? demanda Ael.

— Pas trop. Et ce n'est pas dû qu'à l'alcool. Tous ces gens… Et ta sollicitude, c'est nouveau ?

— Allons dehors, proposa-t-il en ignorant la fin de mes propos.

Il me tendit la main, certainement pour que je le guide. Allais-je en être capable ? Je pris sa main après une longue hésitation. Mon cœur cognait, cognait. Comme nous arrivions au niveau des portes-fenêtres, je trébuchai dans les plis de ma robe. Ael serra fermement mes doigts et m'entraîna sur la terrasse. Je réalisai alors combien sa main était douce et chaude.

– Écoute la musique du vent, murmura-t-il dans l'obscurité.

Les sons tenaient une place primordiale dans son univers sans couleurs, bien sûr. J'écoutai. Peu à peu, les autres bruits s'estompèrent : le brouhaha des conversations, le piano. Et j'entendis le vent qui chuchotait, puis qui haussait la voix, à ma gauche, avant de se remettre à chuchoter entre les branches. J'allais m'enfoncer dans une douce rêverie quand je me rendis compte d'une chose : je me sentais mieux. Puis je réalisai autre chose. J'étais très près d'Ael, son profil pur était presque contre ma joue.

– Que tu le veuilles ou non, que tu l'acceptes ou non, je te demande pardon pour mon mauvais caractère, dit-il au bout d'un long moment.

– Tu ne me détestes donc pas ? demandai-je, surprise.

– Bien sûr que non. Lorsque tu es arrivée, il m'a été pénible de penser que tu te rendrais compte tôt ou tard que je suis...

— Quand est-ce arrivé ? demandai-je doucement.

— Il y a trois ans. Ma mère est morte dans l'accident.

— Comment s'appelait-elle ?

— Azenor.

— C'est très beau. Toi aussi, tu portes un prénom breton, ajoutai-je.

— Le mien signifie « Ange », mais tu as pu constater que je n'en suis pas un, rit-il.

Je ris aussi, détendue.

— C'est le moment où tu es sensée t'enfuir dans ta chambre, fit-il remarquer. Avant que je redevienne pénible.

— Je n'en ai pas envie, décrétai-je.

— Ce soir, je suis de bonne humeur, mais ça peut changer, me prévint-il.

— Du moment que je sais que tu n'as rien contre moi… tu peux dire tout ce que tu veux…

— Non, je ne crois pas. Ce serait injuste pour toi. Tu sais, Yann joue quand même moins bien que moi. Il va falloir que je lui dise, ajouta-t-il.

Je m'esclaffai. Puis nous revînmes sans un mot dans la salle et nous rejoignîmes Yann auprès du piano. Peu après, Olivier et Bleunvenn nous retrouvèrent, et la soirée se termina, pour moi, certainement mieux qu'elle avait commencé : dans la sérénité. Même si j'avais du mal à cerner Ael.

Chapitre 5

Confidences

Je dormis mal cette nuit-là. J'avais des douleurs dans la tête et je me réveillai souvent. Paradoxalement, je me sentais heureuse. Le lendemain matin, je déjeunai seule avec Bleunvenn et j'en profitai pour me renseigner.

– Peux-tu me parler de la mère d'Ael ?

– Je ne l'ai pas connue. Elle était déjà morte, quand j'ai pris mes fonctions ici. J'ai plutôt envie de parler d'hier soir ! Je suis contente de savoir Ael en de si bonnes dispositions envers toi !

– J'espère que ça va continuer. Soaz a connu Azenor, repris-je, qu'en dit-elle ?

Bleunvenn hésita, puis :

– Des stupidités superstitieuses de vieille Bretonne. Mais pourquoi t'intrigue-t-elle ?

— Je suppose que c'est parce que je ne l'ai pas connue et que je ne la connaîtrai jamais. De quelles stupidités parlais-tu ?

— Azenor aurait possédé… certaines capacités.

— Je ne comprends pas, dis-je, étonnée, en reposant ma tartine beurrée.

— Des pouvoirs, si tu préfères, lâcha Bleunvenn comme à contrecœur.

— De quel genre ?

— J'ai toujours préféré ne pas le savoir, pour être franche, dit-elle avant de porter sa tasse à ses lèvres.

De mon côté, je finis par triompher du couvercle du pot de confiture et je plongeai une cuillère dedans.

— Que dit Ael à propos de ces… pouvoirs qu'on attribue à sa mère ?

— Rien. Il n'aime pas trop parler d'elle, et cela se conçoit. Soaz, elle, est persuadée que l'accident était bizarre et qu'Ael a forcément dû s'en rendre compte.

— Bizarre ?

— Azenor roulait vite, mais elle était adroite. Elle savait parfaitement contrôler sa voiture. Oh, nous ne devrions pas parler de ces choses-là, Maria. Moi, ça me donne des frissons.

Je me demandai si Ael possédait des dons comme sa mère. Je voyais bien qu'il était différent, et ce n'était pas uniquement dû à son infirmité. Il y avait sa beauté et son agilité surprenantes. Je décidai de lui en parler en toute sincérité. Mon petit déjeuner achevé, je bondis au-dehors. Je savais où trouver Ael.

Le temps était exécrable. Il tombait du crachin et le brouillard flottait entre ciel et terre, obstruant tous les repères. Une puissante odeur d'humus régnait sur la lande. J'enjambai d'abord avec précaution les herbes hautes, puis je me mis à courir. Tant pis pour les korrigans, ils s'écarteraient de mon chemin. Petite, je craignais de les écraser par inadvertance... J'avais souvent cherché leurs bonnets de feuilles, leurs bras bruns et crochus comme des branches, sans jamais avoir réussi à débusquer les minuscules silhouettes. J'avais grandi. J'étais partie vivre ailleurs... Croyais-je encore aux korrigans ?

Je retrouvais, intactes, toutes les sensations de mon enfance. La brume montait à l'assaut de mes jambes. Comment Ael, qui ne voyait que l'obscurité, se débrouillait-il pour s'orienter ? C'était un mystère. À moins qu'il ait possédé ce qui permettait au Korrigan, évoluant dans le coton enchanté de la lande, de ne jamais se perdre... Un pouvoir... Non, que j'étais bête ! Je sentais l'humidité qui m'assaillait de plus en plus. Mes chaussettes étaient trempées. Soudain, j'aperçus Ael, tout près, là où deux secondes avant, je n'avais vu qu'un mur blanc. Il était tourné vers le large, mais la brume formait une barrière fantomatique entre lui et la mer.

Un instant, j'eus peur. De quelle humeur était-il ? Il se retourna vers moi, ses épais cheveux sombres rabattus sur son beau visage.

– C'est Maria, dis-je.

– Je sais, répondit-il simplement. J'avais reconnu ton pas.

– J'ai bien cru me perdre, dans ce fichu brouillard.

– Il s'en ira avec la prochaine marée, m'assura-t-il de son étrange voix rauque. Que veux-tu ? demanda-t-il doucement.

Je ne trouvai plus la force d'articuler le moindre mot. Je plongeai dans ses superbes yeux violets. Il ne se déroba pas.

– Tu me cherchais, insista-t-il. Que voulais-tu me demander ?

Quelque chose qui aurait pu balayer tous les rochers des alentours monta dans ma gorge. Tout autour de nous, la mer roulait. Je me sentais ridicule, plantée là, muette.

– Es-tu plus heureuse ici ou dans ton pensionnat ? demanda-t-il subitement en esquissant un sourire.

– Ici bien sûr… Je dois avoir l'air bête.

Il accentua son sourire.

– Je ne sais pas, je ne vois pas ton air, répliqua-t-il. Mais on dirait que je suis responsable de ton mutisme. Tu es venue dans un but précis me retrouver et tu ne parles plus ? Je t'intimide ?

De nouveau, je demeurai coite. Je n'avais plus le courage d'évoquer Azenor. Il rit doucement.

– Rentrons, proposa-t-il.

Comme la veille, il me tendit la main. Comme la veille, ses doigts étaient chauds ; ils s'accrochèrent aux miens. Mon cœur se mit à cogner à nouveau. Je réalisai vite qu'il accordait son pas au mien, en parfaite harmonie. Ma bouche refusait toujours de m'obéir. Je n'osais pas lever les yeux vers lui, je me contentais de regarder droit devant moi. Il était tout près et ses cheveux sentaient les embruns.

– De quelle couleur sont tes cheveux ? s'enquit-il brusquement, après un long moment de silence partagé.

– Auburn, murmurai-je, surprise.

– Et tes yeux ?

– Ils ne sont pas aussi beaux que les tiens, soupirai-je. Ils sont noisette. Avec du vert.

– Cela va très bien avec tes cheveux.

– Merci, bredouillai-je en sentant que je piquais un fard. Tu ne vois vraiment rien ? Tu ne distingues même pas ma silhouette ?

Il s'arrêta et parut me contempler, pensif. Puis il pâlit et se détourna.

– Non, lâcha-t-il. Tu dis que mes yeux sont beaux, mais ils ne me servent à rien. Baudelaire a écrit que tout ce qui était beau était inutile, ajouta-t-il.

Là encore, les mots ne purent franchir mes lèvres. Nous reprîmes notre marche. Mon cœur cognait toujours. Enfin, le barrage céda et je pus articuler :

– Sais-tu où nous sommes ?

– Oui. Nous arrivons.

– Tu as un sens de l'orientation incroyable, fis-je remarquer, ébahie.

– Cela compense un peu, rétorqua-t-il un brin moqueur en haussant les épaules.

Je tremblais un peu au moment de passer la porte de l'arrière-cuisine. Une fois à l'intérieur, Ael lâcha ma main et la séparation me fut presque douloureuse. J'aurais souhaité que ce contact dure encore.

– Cela te gênerait beaucoup de me faire la lecture, cet après-midi ? demanda-t-il brusquement.

– Mais non, pas du tout, assurai-je.

Il dut percevoir mon ton joyeux car il sourit.

– Je t'en remercie, Maria.

Durant le déjeuner, je ne pensai à rien d'autre qu'à ce nouvel instant de partage. Sitôt la dernière bouchée avalée, il me guida vers sa chambre, qui n'était qu'à trois portes de la mienne. Elle était aussi bleue que la mienne était verte. Une bibliothèque couvrait deux des murs.

– Tu as beaucoup de livres ! m'exclamai-je, avant de réaliser la bêtise de mes paroles.

Ael s'installa dans l'un des fauteuils recouverts de velours bleu royal, croisa les jambes et appuya son menton dans sa paume.

– J'en ai beaucoup lu avant... expliqua-t-il sans être gêné. La plupart me viennent de ma mère. Elle dévorait les livres et m'a appris à lire avant l'âge de cinq ans. Viens t'asseoir dans l'autre fauteuil, ajouta-t-il.

J'obtempérai, l'étudiant à loisir. Sa beauté irradiait. Je ne pouvais m'empêcher de l'examiner et j'avais peur qu'il le sente, qu'il le devine. Comme s'il m'avait percée à jour, il eut un petit sourire en coin. Je rougis.

– Parle-moi de toi, Maria. Je sais que tu es née à Saint-Thomas, mais ensuite ? Que s'est-il passé ?

– C'était il y a longtemps, soupirai-je. Je crois que mon père voulait monter une affaire à Paris. C'est pour ça que nous sommes partis. Ma mère était peintre et la Bretagne l'inspirait beaucoup. Alors elle a été malheureuse de quitter cet endroit. À Paris, elle ne peignait plus, c'était fini. J'étais triste pour elle.

– Je savais que ta mère était peintre. Ton oncle Henri et elle avaient apporté ici quelques-unes de ses toiles. Le même été, elle s'est représentée en compagnie de ma propre mère. Tu demanderas à mon père de te montrer cette toile... si tu veux, évidemment.

J'éprouvai beaucoup de joie à l'idée que nos mères se soient connues.

— Ael, as-tu bien connu ma mère et mon oncle ?

— Surtout ton oncle. Un jour, il m'a offert une petite voiture Bugatti bleue. Je devais avoir sept ou huit ans. Tu la trouveras sur l'une des étagères.

Des yeux, je fis le tour de la pièce et j'aperçus effectivement le jouet.

— Ta mère était très belle, affirma-t-il.

— La beauté n'est pas toujours héréditaire, répliquai-je d'un ton aigre.

Il s'esclaffa, et ses yeux brillèrent.

— Je suis sûr que tu mens, Maria.

— Non. Si j'étais belle, les gens ne me fuiraient pas.

— Tu es belle. C'est autre chose… fit-il en fronçant les sourcils.

Je rougis à nouveau, n'osant lui demander de continuer à préciser sa pensée.

— Et ensuite ? Que s'est-il passé à Paris ?

— Mon père est mort. D'un cancer, je crois. Je me souviens peu de lui. Ma mère s'est retrouvée seule avec moi et sans un sou. Elle a travaillé comme serveuse, puis dans un grand magasin. Elle m'a alors mise en pension. Je suppose qu'elle n'avait pas le choix.

— Tu y es restée longtemps ?

— Cinq ans, à part les grandes vacances. Comme ma mère ne possédait qu'une chambre de bonne trop petite pour nous deux, je passais mes vacances chez une de ses collègues, devenue une amie pour elle, et qui avait une maison au bord de l'eau…

Le beau visage d'Ael était devenu grave. Il tâtonna et s'empara de ma main. Je l'observai prudemment et ne pus, cette fois, m'empêcher de l'interroger :

– Aujourd'hui, tu es gentil avec moi. Et demain ? C'est déstabilisant… ton attitude, je veux dire.

– Il ne faudra pas m'en tenir rigueur, si… fit-il en se mordillant la lèvre inférieure.

– Ce doit être très dur… dis-je.

– Quoi donc ? fit-il, surpris.

– De ne plus voir.

– Ta vie n'a pas été facile non plus, rétorqua-t-il, presque brutalement.

– Tu ne te jetteras pas du haut de la falaise ?

Je regrettai aussitôt mes paroles. Mieux valait que je sois muette devant lui, c'était préférable ! Il se crispa, mais sa main me serra plus fort.

– Je me doutais bien que tu avais entendu, lâcha-t-il. Oublie. Je dis souvent des bêtises. Choisis un livre, n'importe lequel, dit-il presque brutalement.

Je lâchai ses doigts doux et chauds à regret pour me lever et regarder sa bibliothèque.

– Puis-je te poser une question à mon tour ? demandai-je tout en parcourant les rayons.

— Je t'en prie.

— Ton père a l'air très jeune. Quel âge avait-il quand tu es né ?

— Dix-sept ans.

— C'est très jeune en effet ! Mince alors !

Il afficha un autre de ses sourires énigmatiques. Je rougis encore.

— Ne rougis pas, dit-il.

— Je ne rougis pas, ripostai-je. Comment pourrais-tu le savoir, d'abord ?

— Voyons Maria ! C'est évident.

Confuse comme jamais, je me saisis d'un ouvrage au hasard.

— Tristan et Yseult, lus-je précipitamment. La version de Bédier, la meilleure.

Ael éclata de rire.

— C'est bien choisi ! Tout à fait en adéquation avec notre conversation !

Ses yeux violets se firent doux, caressants, enjôleurs… À moins que ce ne fût le fruit de mon imagination…

— Plus sérieusement, ajouta-t-il. Ni vous sans moi, ni moi sans vous, énonça t-il.

— Le coudrier et le chèvrefeuille enlacés à jamais, continuai-je. C'est une de mes histoires préférées.

— Alors lis celle-ci, suggéra Ael.

Je me rassis dans mon fauteuil. Il m'écouta lire pendant presque deux heures. Il avait fermé les yeux et l'ombre de ses longs cils s'allongeait sur ses joues. Jamais je n'avais vu des traits aussi beaux, ni senti un caractère aussi particulier. Sa voix rauque ne faisait qu'ajouter un peu plus d'étrangeté à ce garçon qui m'attirait de plus en plus. Il fallait bien que je me rende à l'évidence.

C'est à regret que je le quittai, deux heures plus tard… Il voulait à nouveau être seul.

Chapitre 6

Dimanche

Le lendemain, dimanche, la situation s'avéra hélas différente. Quand Ael nous rejoignit à la table du petit déjeuner, il affichait la mine sombre que je lui avais vue les premiers jours. Mon cœur se serra. J'allais avoir du mal à retrouver notre complicité de la veille.

Comble du malheur, tout le monde se prépara ensuite pour la messe. Yann et Olivier partirent les premiers en continuant une discussion dont le sujet m'avait échappé, parce que j'avais la tête ailleurs. Bleunvenn et Soaz parlaient de ce qui était prévu pour le déjeuner tout en achevant de se préparer. J'enfilai ma nouvelle cape en laine, douce et chaude, par-dessus mon beau gilet vert.

— Maria, me demanda soudain Bleunvenn en se tournant vers moi, serais-tu d'accord pour guider

Ael ? Il sera plus agréable pour vous deux de faire la route ensemble, plutôt qu'avec moi, non ?

J'acceptai en hochant simplement la tête, puis lorgnai du côté d'Ael, qui laçait ses souliers en silence. Quand je pris timidement son bras, je le sentis aussitôt se crisper. Mais il ne dit rien et nous partîmes. Devant nous, Soaz et Bleunvenn riaient et cancanaient sur les gens du village.

Ael était à la fois si proche (physiquement) et si lointain que j'étais triste et déstabilisée. Je l'avais senti se retrancher en lui-même. Je m'efforçai de concentrer mon attention sur les obstacles qui pouvaient gêner sa marche. Mon esprit se complut à s'étaler sur ma tristesse et je commis une erreur. J'omis de prévenir Ael à propos d'un gros trou qui crevait le chemin. Il trébucha, je le retins maladroitement par le bras. Il jura, tout en rougissant.

— Je suis désolée, marmonnai-je.

— Écoute, grinça-t-il, évite d'insister sur ma vulnérabilité tout en faisant semblant de t'excuser. Tu vois, et pas moi, nous le savons tous.

Soufflée par tant de mauvaise foi, je sortis mes griffes :

— Dis donc, tu as un meilleur sens de l'orientation que cela, d'habitude, non ?

— Tu mélanges tout ! Savoir retrouver son chemin est différent de tout connaître des aspérités d'une route que j'emprunte peu.

– Si tu avais été seul, tu serais tombé alors ! Donc, de quoi te plains-tu ?

– Prends ton rôle de guide au sérieux !

Je m'abstins de tout autre commentaire, car je ne souhaitais pas exacerber sa colère. Nous poursuivîmes en silence. Lorsque nous arrivâmes sur la place de l'église, un groupe de femmes, qui discutait avec animation, se tut subitement et nous fit face avec une hostilité flagrante. L'une d'elles, très âgée, la tête surmontée de la coiffe traditionnelle de la région, se signa en marmonnant quelque chose. Elle fut aussitôt imitée par une autre femme d'une quarantaine d'années. Mon cœur se glaça.

– Ignore-les, murmura Ael.

– Quoi ? mais comment…

– Je ne vois peut-être pas, coupa-t-il, mais je sais très bien qu'on nous regarde d'une drôle de façon. Cela ne date pas d'hier. Les gens du village se sont toujours comportés ainsi.

Ses yeux violets s'assombrirent et son teint déjà blanc pâlit davantage. Je m'écartai instinctivement de lui.

– Mais pourquoi agissent-ils ainsi ? demandai-je.

– Nous avons une sale réputation. Abgrall, notre jardinier, parle beaucoup. Surtout quand il a bu. Et comme il boit très souvent, j'apprends plein de choses. Je sais par exemple que nos braves concitoyens acceptent de se faire soigner par mon père uniquement parce qu'il n'y a aucun autre médecin dans les environs.

– Abgrall ?

– Oui. Gilles Abgrall.

– J'ai rencontré Deniel Abgrall.

– Il a mon âge, c'est le dernier des cinq frères. Notre jardinier est l'aîné. Les autres sont pêcheurs comme leur père. D'où connais-tu Deniel Abgrall ? demanda-t-il, surpris.

– On s'est croisés sur la lande.

– C'est un garçon beaucoup plus sympathique que moi. Pas d'humeur instable. Tu gagnerais davantage à le fréquenter lui plutôt que moi.

Je me crispai, touchée par ses paroles. Je n'osai pas revenir sur le sujet de la mauvaise réputation, là, au milieu de cette foule. Beaucoup de gens me dévisageaient sans prendre la peine d'être discrets. Cet examen me mettait au supplice. Je me jurai de demander la permission à Olivier de ne plus me rendre à l'église le dimanche. Ael était pâle comme un mort, mais cela n'altérait pas ses traits splendides.

Cependant, les premiers fidèles commençaient à entrer dans l'église. J'emboîtai le pas à Bleunvenn et nous suivîmes le mouvement. Au moment où nous entrions, le prêtre, qui accueillait les villageois près de la porte, glissa une enveloppe dans la main d'Ael, qui la fit promptement disparaître. D'où je me trouvais, je ne pouvais qu'être la seule à avoir surpris ce geste : Ael masquait la main du prêtre. Un instant, je doutai de ce que j'avais vu. Peu à peu, la certitude l'emporta. J'étais sûre de ce que j'avais observé.

Nous gagnâmes nos bancs respectifs, les femmes à gauche, les hommes à droite. Yann guida Ael. Essayant de prendre une voix assurée, je demandai à Bleunvenn :

– Comment s'appelle le curé ?

– Eliaz le Goff, pourquoi ? s'enquit-elle.

– C'était juste pour savoir.

Eliaz le Goff remonta l'allée vers sa chaire ; sa soutane voletait souplement sur ses chevilles. C'était un bel homme de taille moyenne, jeune, au regard bleu pénétrant. Il ne ressemblait pas à l'idée qu'on se fait généralement du curé de campagne, avec ses cheveux noirs bien coupés, son sourire juvénile et son allure gracieuse.

Je tournai la tête du côté d'Ael. Il était à côté de son père et de son cousin, et leur beauté saisissante, comparée aux ternes villageois, me choqua. Ils n'étaient pas comme eux, ils étaient différents. Le prêtre aussi était différent. Trop beau. Ses yeux brillaient trop.

Les chuchotements des gens se répercutaient sur les piliers qui se renvoyaient les voix en écho. Depuis mon expérience au pensionnat, je détestais les offices religieux. Je soupirai. Bleunvenn posa son missel entre nous deux, sur le pupitre.

– Tu vas suivre avec moi, chuchota-t-elle.

Je commis ensuite ma deuxième erreur de la journée (après le trou dans le chemin) : je relevai les yeux vers la chaire. Eliaz le Goff me transperçait de son regard clair. Sans erreur possible, c'était moi qu'il visait ! Quel regard effrayant !

Je me sentis devenir comme une pierre. J'avalai ma salive avec difficulté, mes doigts se mirent à trembler. Je feignis de m'intéresser au missel. Lorsque je relevai de nouveau la tête, Eliaz le Goff ne me regardait plus. Avais-je rêvé ?

L'office commença. Je fus dans l'incapacité d'écouter quoi que ce soit. Baignées de lumière, les mosaïques colorées des vitraux dansaient sur mes mains et je ne pensais à rien d'autre. Soudain, l'orgue se tut, les chants moururent. Eliaz le Goff commença à parler. Sa voix était mélodieuse, il accentuait bien les mots et captivait (enchantait ?) son auditoire. Pas moi. J'étais immunisée. Je me glaçai en me rappelant le regard meurtrier qu'il m'avait jeté. Pourquoi ?

Il se mit à lire. Sa tête se trouvait légèrement penchée vers la gauche, en une expression si familière que je tressaillis. J'avais déjà remarqué cette façon de se tenir. Brusquement, je compris. La nausée grandit et me submergea. Je m'agrippai au pupitre et baissai la tête vers la droite pour ne plus voir le prêtre. Mes yeux accrochèrent alors ceux de Yann. À l'extrémité de la rangée d'à côté, il me fixait, la mine inquiète. Je m'efforçai de lui sourire. Je suppose que je dus plutôt grimacer. Il fronça les sourcils. Je lui fis signe que tout allait bien.

À force d'essayer de m'en persuader, j'y parvins peu à peu, et la nausée disparut. L'office se termina peu après. J'eus du mal à regagner la sortie. Mes jambes flageolaient au rythme des cloches. J'avais l'impression que l'odieux regard d'Eliaz le Goff me poursuivait, mais un coup d'œil vers lui me montra qu'il s'occupait particulièrement d'un groupe de paroissiens. La main de Yann s'abattit sur mon épaule et m'arrêta net.

— Tu trembles, constata-t-il.

— Je suis peut-être malade.

Il m'observa, pensif, tandis que les autres nous rejoignaient sur le parvis de l'église.

— Maria est malade, dit Yann.

— Vas-tu pouvoir faire le trajet de retour ? me demanda Olivier en posant à son tour sa main sur mon épaule.

— Je pense que oui.

— Où as-tu mal ?

— Au cœur. J'ai dû manger quelque chose qui ne m'a pas réussi, bredouillai-je.

— Je t'examinerai au manoir, décréta Olivier, l'air soucieux.

Ael, lui, offrait un visage impénétrable.

— Je peux te porter, suggéra Yann.

— Jamais ! protestai-je.

Olivier se détendit, sourit, Yann rit.

– Je vais pouvoir guider Ael, affirmai-je.

Et nous repartîmes, nous nous écartâmes des villageois qui discutaient avec animation. Au milieu du chemin, je secouai le bras d'Ael.

– Que s'est-il passé, avec Eliaz le Goff ? chuchotai-je.

– Je ne sais pas de quoi tu parles, répondit-il sèchement.

Ses beaux traits se crispèrent.

– Je te parle de l'enveloppe qu'il t'a remise. J'ai tout vu, affirmai-je.

– Dieu seul voit tout et moi, je ne vois rien, ricana Ael.

– Ael ! protestai-je. Tu recommences !

Il afficha une expression tellement sinistre qu'encore une fois, je m'écartai de lui. Mon cœur se serra. Est-ce qu'il le sentit ? Toujours est-il qu'il se pencha vers moi et me chuchota :

– Accompagne-moi sur la lande après le repas.

Au manoir, je jurai mes grands dieux que je me sentais très bien, afin de refuser tout examen médical. Je ne voulais pas être forcée de garder la chambre. Olivier n'insista pas. Sitôt le dernier morceau avalé, Ael et moi, nous nous glissâmes au-dehors avec discrétion. C'est lui qui m'indiqua la direction à suivre.

– Je suis né ici, je connais les lieux par cœur. Pour moi, l'expression « y aller les yeux fermés » a un sens très concret, expliqua-t-il.

Nous gravîmes la côte jusqu'à un plateau balayé par les vents et surplombant la mer. Ael se dirigea alors vers un groupe de trois rochers ronds et sortit l'enveloppe, la fameuse enveloppe, de sa poche. Il plongea le bras derrière une des pierres.

– Il y a un creux. C'est là que je glisse les enveloppes.

– Ce n'est donc pas la première fois qu'Eliaz le Goff te confie des messages ! Ils sont destinés aux maquisards, je suppose ?

– Évidemment. Tu supposes bien.

Je plongeai dans ses yeux violets ensorcelants.

– Et les risques ? demandai-je. Y as-tu songé ? Tu es suicidaire ? Oh, je le savais déjà !

– Les Allemands ne se méfieront jamais d'un adolescent comme moi… aveugle. Et même si on me dénonçait à Weiss, il ne le croirait pas.

– Et ton père ? Est-il au courant ?

– Bien sûr que non. Il ferait une crise.

– Je peux aisément imaginer sa réaction ! Un adulte, prêtre de surcroît, te fait courir des risques insensés.

– Insensés ! Comment peux-tu dire cela ? Je te le répète : on ne se méfiera jamais d'un… aveugle. Bon sang, je n'aime pas ce mot…

Il soupira, détourna la tête, la main crispée sur le rocher. Je le vis se mordre les lèvres.

– Mes ancêtres, reprit-il, sont allés en Orient combattre durant les Croisades. Ils ont ensuite lutté au siège de la Rochelle. Ils ont donné leur vie pour la Royauté en se battant contre les Bleus à la Révolution… Comprends-tu ?

– Non, dis-je, butée.

– J'ai besoin de me sentir utile. Mon père est médecin. Et moi, que puis-je faire, en tant qu'infirme ? Hein ?

– Beaucoup d'autres choses que finir fusillé ou dans une maison d'éducation surveillée.

– Je n'ai pas dix-huit ans, mais seize. On ne me fusillera pas.

– Je ne crois pas que ton âge gêne ceux qui seraient chargés de l'exécution. À Paris…

– Bonjour ! nous interrompit une voix enjouée.

Deniel Abgrall s'avançait à grandes enjambées. Il souriait et ses yeux verts brillaient.

– Bonjour Maria. Monsieur le Vicomte !

– Tu peux juste m'appeler Ael, tu le sais, grogna l'intéressé.

– Tu ne vas pas à l'église, le dimanche ? m'enquis-je. Je ne t'ai pas vu, ce matin.

– J'ai toujours mieux à faire ! s'écria Deniel avant d'éclater de rire. Je préfère la lande aux sermons et la pêche aux prêcheurs.

– Je suis d'accord avec toi, dit Ael.

– Et moi donc ! soupirai-je.

– Dites, vous ne voudriez pas descendre jusqu'à la mer avec moi ? interrogea Deniel. Je peux vous montrer une petite grotte très intéressante.

– Une grotte ? répétai-je.

– Oh, en fait, c'est surtout un simple trou dans la roche, mais en cas de pluie, c'est parfait pour piquer un roupillon sans se mouiller. Parfait aussi pour échapper aux adultes, aux obligations. Ael, tu veux que je t'aide ?

Ce dernier pâlit, crispa la bouche et plissa les yeux, l'air mauvais.

– Je ne dis pas ça pour te rabaisser, mais pour te faciliter la descente, expliqua aussitôt Deniel. Que les choses soient claires : mon intention n'est pas de t'embêter avec ton infirmité.

– Maria va m'aider, si elle veut bien, grommela Ael.

– Bien sûr, dis-je.

L'exercice ne fut pas difficile. La pente était douce et Ael s'avéra très agile, souple comme un chat. Comme il l'avait déjà souligné, il avait l'habitude de crapahuter sur la lande et les falaises. Sa main dans la mienne se faisait légère et plus d'une fois, c'est lui qui me mit en garde dès qu'il sentait que la paroi se faisait plus abrupte. C'était quand même extraordinaire pour quelqu'un qui ne voyait pas.

Deniel prit fièrement possession des lieux en s'asseyant en tailleur au milieu du petit abri naturel. La vue sur l'océan était époustouflante et en même temps, nous étions cachés aux yeux des familles, des Allemands, du monde. Merveilleux ! Par contre, il était difficile de s'y tenir debout.

– C'est un endroit magnifique ! m'exclamai-je.

Deniel me sourit puis sortit un paquet de cartes de la poche de sa veste marron, délavée par les lessives et les années. Ensuite, fier comme un paon, il ramassa une bouteille, qu'il avait dissimulée derrière la roche, une fois précédente, certainement.

– De l'alcool ? demandai-je.

– Eh quoi ? fit Deniel. C'est un très bon whisky.

– Cela me va, dit Ael.

– Pas moi, répliquai-je en me souvenant de mon état lors de la soirée du vendredi.

Deniel passa la bouteille à Ael qui en prit une rasade sans aucune hésitation.

– Tu l'as volé à ton père ? m'enquis-je, volontairement provocatrice.

Deniel éclata de rire.

– Évidemment ! Ne t'inquiète pas, elle est presque vide, on ne va pas rouler par terre avec de pareilles quantités, expliqua-t-il en m'agitant la bouteille sous le nez.

Un mince sourire étira les lèvres d'Ael. Je rougis, troublée une fois de plus par sa beauté.

— Joues-tu, Maria ? demanda Deniel en battant ses cartes.

— Et Ael ? objectai-je.

— Jouez sans vous occuper de moi, répliqua l'intéressé en allant s'installer près de l'ouverture de la grotte. Moi, je vais écouter la mer...

Nous nous amusâmes durant près d'une heure. Deniel promit de m'apprendre, une prochaine fois, des jeux de cartes qu'on ne m'aurait jamais appris dans mon pensionnat. Puis, Ael et moi nous laissâmes Deniel à l'embranchement qui menait d'un côté au village, de l'autre au manoir, et nous entreprîmes le chemin du retour.

— Vais-je dire à ton père que tu as bu ? demandai-je à Ael pour le taquiner.

— Il n'y en avait pas assez pour se saouler, répondit-il en reprenant l'argument de Deniel. Et je ne suis pas une sainte-nitouche sortie de son pensionnat, moi.

J'allais répliquer vertement quand je me rappelai subitement, et Dieu seul sait pourquoi, le regard que m'avait lancé le prêtre et ma découverte qui avait suivi.

— Je t'ai vexée ? s'enquit Ael, sûrement étonné de mon silence.

— Non, c'est autre chose. C'est...

Il baissa vers moi ses yeux envoûtants et trop fixes. Mon cœur s'accéléra dans ma poitrine. Je poussai la porte de l'arrière-cuisine.

– Veux-tu en parler ? insista-t-il.

– Plus tard, dis-je, chavirée, et regrettant amèrement de ne pas pouvoir le faire à l'instant même.

– Tu es bien mystérieuse, énonça-t-il d'un ton enjôleur, sublimé par sa voix rauque.

Nous avançâmes dans le couloir. Les ombres rendaient ses traits encore plus saisissants. Il sourit en réponse à mon silence.

– C'était un bel après-midi, conclut-il.

– Oui, murmurai-je enfin.

– Qu'est-ce que vous complotez ? intervint Yann en surgissant de nulle part.

– Il n'y a aucun complot, dit gaiement Ael. C'est Maria qui fait des cachotteries.

– J'ai bien le droit d'avoir mes secrets, répliquai-je, confuse.

Le repas fut très animé, car les deux cousins me taquinèrent sans arrêt. Lorsqu'Olivier souhaita connaître la cause de ces plaisanteries, Ael s'expliqua avec un air joyeux que je lui avais rarement vu. Yann s'esclaffait.

– Laissez donc Maria tranquille, les morigéna gentiment Olivier. Il y a des choses qu'une jeune fille n'a pas forcément envie de partager avec deux garçons.

– Que veux-tu, Ael, soupira Yann, nos pensées sont trop grossières pour l'âme élevée de cette jeune fille.

La jeune fille en question rougit, agacée. Pour me venger, j'entrepris de raconter notre excursion de l'après-midi, m'arrêtant souvent exprès, juste avant un moment que mes mots rendaient fatidique. La main contre sa joue, Ael m'écoutait avec un petit sourire. Finalement, je ne dis rien à propos des messages aux maquisards ou de l'alcool.

– Deniel adore faire enrager son père, dit Olivier. Évitez de vous laisser entraîner par ce garçon, qui accumule les bêtises par pure provocation. Je reconnais, par ailleurs, que ce gamin a bon cœur.

Ael continuait de sourire de cette façon si énigmatique qui me troublait tant. Un peu plus tard, alors que nous montions vers nos chambres, il se tourna à demi de mon côté.

– Je ne vais pas t'ennuyer ce soir pour que tu me fasses la lecture, annonça-t-il.

– Ael, protestai-je, cela me fait plaisir.

– Et pour garder le plaisir intact, il ne faut pas en abuser, murmura-t-il.

– Comme tu veux, mais tu ne m'ennuieras jamais. Je te souhaite une bonne nuit, dis-je, peinée.

– Bonne nuit, Maria, renchérit-il avec douceur en levant une main, puis en la rabaissant aussitôt.

Sa voix rauque me chavira une fois de plus. Je refermai ma porte en tremblant déjà à la perspective de la décision que je venais de prendre : aller voir Eliaz le Goff le soir même.

Chapitre 7

Secrets

La lune, éblouissante, semblait peinte sur un rideau d'obscurité infinie. Je refermai le plus doucement possible la porte de l'arrière-cuisine. Le froid vif me coupa la respiration un bref instant. Pas d'erreur possible, c'était l'automne. Je rabattis ma capuche. Il fallait que je sache la vérité à propos de ce que j'avais découvert à l'église le matin même. Tant pis pour le couvre-feu. Je le chassai de mon esprit… comme je chassais le fait qu'Ael m'attirait de plus en plus… je chassais tant de choses…

Et puis, j'étais folle ! Qui étais-je pour croire qu'Eliaz le Goff allait accepter de parler à une gamine telle que moi ? Surtout après le regard qu'il m'avait lancé ! Je me mis à courir et le temps changea soudain. Des nuages partirent à l'assaut de la lune, filant à toute allure. La pluie commença à tomber.

Les gouttes éparses devinrent rapidement un véritable déluge.

Lorsque j'atteignis le presbytère, j'étais ruisselante d'eau. J'hésitai avant de m'emparer du heurtoir. Qu'étais-je en train de faire ! Je pris une profonde inspiration et je cognai contre la porte. Eliaz le Goff ouvrit presque immédiatement. Bizarrement, il ne parut pas surpris de me voir. Encore mieux, il n'avait pas l'air inamical. C'était comme s'il s'attendait à ma visite.

– Je suis... Maria Dorval, bredouillai-je. J'habite au manoir...

– Je sais qui tu es, coupa-t-il. Entre, ajouta-t-il en s'effaçant pour me laisser passer.

Les lieux étaient austères : les murs en grosses pierres étaient nus. Eliaz le Goff me fit signe de le suivre jusqu'au bout du couloir et tourna à gauche. Il déboucha dans une salle spacieuse, très haute de plafond. L'ameublement y était sommaire. Une table, des chaises, un buffet volumineux. Eliaz le Goff me poussa en silence vers l'immense cheminée et ramena près du feu une chaise qui avait connu des jours meilleurs.

– Enlève ta cape, dit-il enfin, et pose-la sur le dossier afin qu'elle sèche.

J'obtempérai. Il disparut et revint avec une couverture à carreaux élimée qu'il mit sur mes épaules. La couverture sentait le salpêtre. Je relevai les yeux vers le prêtre, qui m'observait d'un air attentif. Son visage était éclairé par les flammes à la façon des effets de lumière que Georges de la Tour mettait dans ses toiles.

– Merci pour la couverture, bredouillai-je.

– Assieds-toi.

Il avança deux autres chaises et s'assit lui-même, en se penchant vers le feu. Je pris la seconde chaise d'une main (l'autre tenait la couverture) et je m'installai aussi face au foyer. Sa chaleur était si bienfaisante.

– Je sais que vous avez demandé à Ael de Lordremons de porter les messages que vous destinez aux résistants, attaquai-je.

– Et tu penses que je lui fais courir beaucoup de risques.

– Oui. De plus, ce matin, vous m'avez regardée d'un air effrayant parce que vous vous doutiez de ce que j'avais découvert… à propos de vous. Je me trompe ? dis-je, étonnée de mon culot.

– En effet, répondit-il calmement. Les Lordremons savent se rendre effrayants.

– Vous n'êtes pas un Lordremons, objectai-je prudemment.

Il rit doucement.

– Allons, Maria, je sais que tu penses le contraire. Tu l'as découvert ce matin, n'est-ce pas ?

– Oui.

Je le regardai. Il fixait le feu, paisible, les yeux emplis de sérénité sous la masse abondante de ses cheveux noirs.

– Comment as-tu deviné ? interrogea-t-il.

– À un moment, vous avez penché la tête de cette façon si particulière…

Je frissonnai, comme si l'on avait frotté mon dos entier avec de la glace.

– Ael penche la tête de cette façon quand il joue du piano, continuai-je. Et vous vous ressemblez tant… c'est frappant…

– Tu es vraiment étonnante… Tu t'en es aperçue si vite… Et tu as une certaine forme d'inconscience et une bonne dose de courage pour avoir osé venir jusqu'ici m'en parler…

– Pourquoi ? Êtes-vous dangereux ?

Il sourit et croisa les mains.

– À toi de voir, Maria… au fur et à mesure…

– Ael est-il au courant… de vos liens ?

– Non. Je ne pense pas.

Dans la cheminée, une bûche se fendit en deux et le craquement se répercuta longtemps.

– J'ai le même père qu'Olivier de Lordremons, expliqua-t-il. Denez de Lordremons, aujourd'hui décédé. Tu t'en doutes, c'était une liaison adultère entre lui et ma mère. J'avais seize ans et Olivier quinze, quand nous sommes tous les deux tombés amoureux d'Azenor. Je ne voulais pas que ça finisse mal… Je voulais garder mon frère, continuer de lui parler... Je suis donc parti et je suis entré dans les ordres. Seulement, je ne savais pas qu'elle attendait Ael... Dans mes moments de doute, j'ai la cruelle impression qu'il s'agit d'une malédiction...

— Olivier sait-il que vous êtes frères ? Que vous êtes le père d'Ael ?

— Oui. Denez avait dû le lui dire, comme il me l'a dit à moi. Il s'est toujours comporté comme un frère avec moi, mais sans jamais m'en parler ouvertement. Il a toujours été plein de tact, c'est dans son caractère. Pour Ael, Azenor ne lui a rien caché et Olivier n'a jamais montré une quelconque rancune à mon égard ou envers elle. Et il aime Ael.

Les yeux bleus d'Eliaz brillaient, brûlaient.

— Ael est mon fils et celui de la seule femme que je n'aimerai jamais. J'ai cru devenir fou le jour où cet accident me l'a enlevée, elle, et quand j'ai su qu'Ael était si gravement blessé. J'ai cru que mon cœur allait éclater. Ma douleur n'est jamais partie. Alors je ne confie pas ces messages à Ael pour le mettre en danger. Il ne risque rien et un lien existe entre nous, grâce à ces lettres. C'est le plus important.

Il rit, un peu amèrement, me sembla-t-il.

— Je t'ai confié plus de choses en une heure qu'à ma mère en toute une vie, constata-t-il. Tu es une fille étrange... dans une famille étrange...

Il se leva.

– Il faut que tu rentres, Maria. Tu t'es trop attardée ; ta cape est sèche.

Il me tendit mon vêtement un peu précipitamment.

– Je sais désormais que vous ne voulez aucun mal à Ael, dis-je. Je pars rassurée.

– Ael compte-t-il beaucoup à tes yeux ?

– Un peu, oui, fis-je en rougissant et en me détournant.

Je gagnai rapidement le couloir, puis la porte d'entrée. J'étais sûre qu'il souriait.

– Au revoir, Maria. Que Dieu te garde…

– Au revoir…

Je n'avais pas les réponses à toutes mes questions concernant l'étrangeté des Lordremons, mais c'était un bon début. Il ne pleuvait plus, le vent chassait les nuages. Un silence complet pesait sur le village et aucune lumière ne brillait sous les volets clos. Mais j'eus soudain la désagréable sensation qu'on m'épiait.

Qui ? Où ? Je tournai la tête à gauche, à droite. Les Allemands ? Ils m'auraient déjà interpelée. J'avançai plus vite. Il n'y eut pas un bruit derrière moi et cependant, j'en étais sûre, quelqu'un suivait, tapi dans l'obscurité, tous mes faits et gestes. Pourtant, je n'éprouvais aucune peur. Pas après ce que j'avais accompli auprès d'Eliaz le Goff. Comme je me faufilais par la porte de l'arrière-cuisine, j'aperçus

Yann qui gravissait les marches. Je restai là, pétrifiée, à le regarder.

Il me vit à son tour, et ses yeux s'agrandirent de stupeur. Il recula ensuite vers les arbres. Que faisait-il dehors ? Était-ce lui qui m'avait suivie ? Je m'enfuis précipitamment. Une fois dans ma chambre, je m'enfermai à clé. Terrorisée cette fois.

Chapitre 8

Affrontements

Lors de cette nuit du dimanche au lundi, je dormis très mal, d'un sommeil entrecoupé et assailli par des cauchemars. Les villageois sortaient de chez eux, armés de tout ce qu'ils avaient pu trouver : du couteau de cuisine à la bêche de jardin, en passant par des morceaux de vitre brisée. Ensuite, ils me poursuivaient sans un mot, et leurs yeux luisaient. Puis, je me retrouvais devant le presbytère, mais je ne parvenais pas à en ouvrir la porte. Dès que je touchais le heurtoir, il devenait incandescent et me brûlait les doigts.

Enfin, je m'éveillai en sursaut. Le jour était levé. Je m'extirpai de mon lit, le cœur battant. Aussitôt, le froid me saisit et je me dépêchai d'enfiler mon gros lainage gris par-dessus ma chemise de nuit. Je grelottais de froid et de peur. Je versai l'eau de mon broc dans ma bassine et je me lavai le visage. Les aiguilles glacées de l'eau me firent du bien et calmèrent les battements désordonnés de mon cœur. J'envisageai de prendre un bain brûlant plus tard dans la journée. Je m'habillai. Quand je rejoignis le rez-de-chaussée, je constatai que seule Bleunvenn était encore attablée. Bols et tasses vides montraient que les autres avaient déjeuné avant.

– Tu te lèves tard, constata distraitement Bleunvenn. As-tu bien dormi ?

– J'ai essayé.

– Il s'est passé des choses cette nuit au village, tu sais, dit Bleunvenn en me scrutant.

Le bol que je venais de remplir faillit m'échapper. Je me pétrifiai.

– Ah ? réussis-je à articuler.

– Oui, deux camions allemands ont sauté non loin de la gare. Il n'y avait jamais eu d'attentat par ici, auparavant. Apparemment, ils transportaient des caisses qui devaient partir en train pour l'Allemagne. Soaz m'a dit que les villageois craignaient des représailles. En tout cas, ce qui est sûr, c'est que Weiss doit être furieux. J'espère que nous n'allons pas trinquer, ici, au manoir.

Je repensai à la sortie nocturne de Yann. Y avait-il un rapport ? Pouvait-il être mêlé au sabotage ? Pour ma part, j'étais soulagée, car je n'étais pas mise en cause ; tout le monde (sauf Yann) ignorait toujours que j'étais également sortie. Je déjeunai rapidement et je gagnai le salon. Yann lisait le journal, nonchalamment enfoncé dans l'un des fauteuils en velours vieux rose.

– Bonjour, Yann ! dis-je d'un ton que je voulais enjoué. Ton journal évoque-t-il les deux camions allemands qui ont explosé cette nuit à la gare ?

– Pour l'instant, je n'ai rien lu de tel, répondit-il tranquillement, sans lever les yeux.

– As-tu bien dormi, cette nuit ?

– Comme un bébé. Et toi ?

– Aussi bien que toi, répliquai-je.

– Pourtant, tu t'es levée tard. Est-ce parce que j'ai cru te voir dehors à une heure où tu aurais dû être au fond de ton lit ?

– Si tu as cru me voir, c'est que tu te trouvais toi aussi dehors, ripostai-je. Qu'y avait-il dans les caisses chargées dans les camions allemands ?

– Tout le monde sait que certains officiers allemands peu scrupuleux pillent nos châteaux et nos églises. Le contenu des caisses se devine donc facilement.

Il se redressa, l'air très sérieux.

– Que fait dehors une adolescente de quinze ans alors qu'il fait nuit et qu'il y a un couvre-feu ? lança-t-il.

– Et que fait dehors un garçon de dix-huit ans alors qu'il fait nuit et que des camions allemands explosent ?

Un léger toussotement me fit sursauter. Yann et moi, nous nous tournâmes de concert vers la porte. Appuyé contre le mur, l'air en colère, Ael semblait nous fixer.

– Pourquoi sortez-vous la nuit, tous les deux ? Qu'est-ce que vous cachez ?

– Ael... commença Yann qui s'énervait.

Ael se détacha du mur et avança, très pâle.

– Parle, si tu en as le courage, murmura-t-il à son cousin.

– Pourquoi ? Cela ne te regarde pas.

La main d'Ael tâtonna avant de se refermer sur un coupe-papier posé sur le guéridon.

– J'ai le droit de savoir... si cela a un rapport avec les messages que je transporte. Fais-tu partie des maquisards ?

– Tu transportes des messages ! s'exclama Yann. Et tu voudrais sans doute participer davantage ? railla-t-il. Toi ?

Je le contemplai, surprise. Il était presque mauvais, le regard très sombre.

– Arrête, gronda Ael.

Il agrippa plus fermement l'élégante petite lame. Ses beaux yeux violets devinrent presque noirs sous l'effet de la colère qui montait en lui. Je frémis.

– On dirait tout à fait ta mère quand tu te mets en colère ! ricana Yann.

Le petit couteau se ficha contre le mur. Je n'avais rien vu venir. J'étouffai un cri : quelques gouttes de sang coulaient de la joue de Yann. Incrédule, il porta la main à l'éraflure avant d'examiner ses doigts.

— Tu l'as fait ! Tu l'as lancé ! Espèce de…

Yann se rua en avant. Ael l'esquiva habilement en sautant vers un coin de la pièce. Mais Yann parvint tout de même à saisir le poignet de son cousin. La prise était forte, mais Ael se dégagea et Yann lui attrapa les doigts. J'entendis un craquement. Sans un cri, Ael se retourna prestement, balança sa jambe et atteignit son cousin au tibia. Yann étouffa un juron. Même en se battant, ils étaient si gracieux que ma surprise était totale.

Ael s'écarta, fit jouer ses articulations.

— Casse-moi donc les doigts ! cria-t-il.

— Te rends-tu compte de ce que toi, tu as fait ? s'exclama Yann en se redressant.

Il saisit de force la main d'Ael et l'inspecta, tandis que son cousin tentait de se dégager.

— Je ne pense pas que tu sois blessé, mais tu demanderas à ton père de t'examiner.

— Je n'ai rien, grogna Ael.

— Je n'aurais jamais dû te tordre les doigts, tu es pianiste. Cependant, réalises-tu que tu as lancé un coupe-papier… alors que…

— … Je ne vois pas ? Je savais exactement où tu te trouvais. Jamais je ne t'aurais blessé sérieusement. Mais tu n'aurais pas dû évoquer ma mère. Cela m'a mis en rogne.

Ael recula encore. Son beau visage était fermé, crispé.

— Et toi, Maria, dit-il plus doucement, me dirastu ce que tu faisais dehors ? Cela fait partie de tes petits secrets ?

Je gardai le silence. Il soupira, avec mépris. Puis, il fit volte-face et quitta la pièce. Yann soupira à son tour.

— Parfois, avoua-t-il, j'ai l'impression qu'il voit… avec l'esprit. Il savait où je me trouvais.

— Il est furieux, dis-je.

— À qui la faute ? répliqua durement Yann. Nous avons ce que nous méritons.

— Pourquoi me suivais-tu cette nuit ? attaquai-je subitement.

— Quoi ? fit-il surpris.

— Tu m'as suivie cette nuit.

— Je te jure que je ne te suivais pas. J'avais autre chose à faire, non ? Qu'est-ce que c'est que cette histoire ? On te suivait ? Tu es sûre ?

— Restons-en là, répondis-je sèchement.

Je n'avais pas envie de me trahir et de parler de ce que j'avais fait la nuit précédente. Mes convictions, par ailleurs, étaient établies : Yann avait saboté les camions allemands avec d'autres résistants. Cela suffisait-il pour que je pense qu'il était quelqu'un de bien, quelqu'un qui était incapable de me suivre en pleine nuit ? Alors que par ailleurs, il était capable de provoquer Ael de façon très méchante ?

Et pourquoi me suivre sans se manifester ? Quelles intentions guidaient celui qui m'avait pistée ? Je quittai la pièce à mon tour, tendue.

Chapitre 9

Éviction

« Je savais exactement où tu te trouvais. » Telle était la phrase d'Ael. Était-il vraiment possible que ce garçon possède… des dons ? Comme sa mère ? Cette question trotta dans ma tête toute la journée et je ne trouvai aucune réponse satisfaisante. De plus, comme je l'ai déjà dit, je n'envisageais pas une seconde de confier à Yann, et encore moins à Ael, ce qu'Eliaz le Goff m'avait révélé. C'était impossible car ce n'était pas à moi de le faire. Ce secret ne m'appartenait pas.

Ael et Yann s'évitèrent toute la journée. Ael m'évita. J'évitai Yann. Vers le soir, lassée de jouer au chat et à la souris, je pris d'abord le bain que je m'étais promis. Puis j'allai frapper à la porte du bureau d'Olivier, qui était rentré plus tôt que d'habitude. Les lieux étaient chaleureux, avec leurs murs recouverts de lambris sombre et les tentures jaune d'or le long des fenêtres. Olivier me sourit affectueusement en levant les yeux, puis en repoussant ses papiers.

– Eh bien, Maria ? Quel est ton bilan au bout d'une semaine ? Te sens-tu bien avec nous ?

– Je me sens très bien parmi vous.

(Ne pas parler d'Eliaz. Ne pas parler de la querelle du jour.)

– Je vais donc pouvoir renvoyer au notaire de ta mère les papiers officiels qui font de moi ton tuteur légal jusqu'à ta majorité. Je viens d'achever de les remplir. Voulais-tu me demander quelque chose ?

Oui ! Qui êtes-vous exactement ? Pourquoi les gens ne vous aiment-ils pas ? Qui était Azenor ? Quels dons possède Ael ? Voilà ce que j'aurais aimé dire.

– D'abord, dis-je, la gorge serrée, je vous remercie pour votre démarche. Ensuite, je vous demande la permission de ne plus aller à l'office du dimanche matin.

– J'ai l'impression qu'Ael ne va pas tarder à me demander la même chose ! fit-il en riant.

– Je n'aime pas trop la façon dont les gens du village nous considèrent, expliquai-je.

La physionomie d'Olivier redevint grave.

– Je te comprends, répondit-il avec douceur. Mais si tu vis ici, tu n'auras pas d'autre solution que de faire avec. Je fais avec car si je n'y allais pas, les gens n'auraient plus confiance dans le médecin que je suis. Les gens de la campagne sont… méfiants. Aller à la messe dominicale est un moyen pour nous de rester intégrés.

Je dus afficher une mine des plus contrites, car il éclata de rire.

– Petite Maria, je te propose un compromis : tu n'iras plus qu'une fois sur deux, ou trois. C'est d'accord ?

– Merci ! dis-je en me retenant de me jeter à son cou.

Il sourit encore, ses beaux traits juvéniles étaient détendus.

– Je voulais annoncer quelque chose au repas, mais comme tu es là… dit-il, je t'informe que demain, toi et Ael reprendrez les cours. Tu suivras le même enseignement particulier que mon fils, car je n'envisage évidemment pas de te remettre dans une quelconque institution afin que tu prépares le baccalauréat.

– Cela me fait plaisir de rester ici et de faire des études en même temps, sans bouger.

– Je m'en doutais bien. Et cela stimulera Ael de t'avoir à ses côtés. Ce n'est pas qu'il soit mauvais élève, au contraire. Mais il a perdu un an après l'accident, il joue les dilettantes et a tendance à faire uniquement ce qui lui plaît. Il se disciplinera pour t'impressionner, puisque tu as un an de moins et que tu as son niveau.

– M'impressionner ? C'est ce que l'on verra, grommelai-je.

Les yeux bleus d'Olivier s'emplirent de douceur.

– Je sais qu'Ael a mauvais caractère et que ce n'est pas évident de le supporter.

– Tout va bien, dis-je.

– Je ferai tout mon possible pour que tu puisses réussir ta propre vie d'adulte... Allons dîner, conclut-il simplement.

À table, Yann, Ael et moi fîmes comme si de rien n'était.

Le lendemain, je me présentai à neuf heures devant la porte de la bibliothèque. M. Darbois, le professeur, y dispensait ses cours. Il arriva quelques secondes après moi et ne s'embarrassa d'aucun préambule. Il me demanda de m'installer où je voulais autour de la grande table en noyer, et me colla d'emblée une explication de texte sur un poème de Gérard de Nerval.

– Il s'agit pour moi de vérifier l'état de vos connaissances et quelles méthodes vous avez déjà acquises.

J'avais à peine trempé ma plume dans l'encrier qu'Ael se présenta avec la mine des mauvais jours. Ses yeux violets largement cernés étaient ternes, son teint vraiment pâle.

– Vous êtes en retard, jeune homme. Cela commence mal, prévint M. Darbois en réajustant ses petites lunettes rondes.

Sans répondre, Ael alla s'installer à l'opposé de l'endroit où je me trouvais, comme s'il avait senti où j'étais. Cela commençait bien, en effet! Je l'observai à la dérobée : sa grande pâleur et ses cernes n'altéraient pas sa beauté mais la sublimaient, comme s'il fallait que ce soit toujours la souffrance qui ajoute un éclat supplémentaire. Nos petits secrets à Yann et moi avaient dû le tenir éveillé une partie de la nuit.

– Gérard de Nerval vous attend, Mademoiselle, s'impatienta Darbois.

J'aurais aimé répondre que Gérard de Nerval était tellement mort qu'il avait l'éternité pour lui, et qu'il s'en fichait bien. Au lieu de cela, je trempai vivement ma plume dans l'encrier. Au cours de cette matinée, j'appris que M. Darbois était capable d'enseigner le braille, bien qu'il possédât la meilleure vue qui soit pour déceler la moindre inattention de ma part. Terrible.

Ael était à l'aise, très à l'aise, avec le braille. Ses doigts lisaient avec une rapidité prodigieuse. Il était aussi brillant à l'oral, s'exprimait avec une incroyable aisance et un vocabulaire varié. Sa voix rauque me subjuguait.

À l'heure du déjeuner, il s'éclipsa si vite que j'en fus mortifiée. Pour ne pas l'irriter davantage, je résolus d'avaler un morceau sur le pouce dans la cuisine, et de ne pas me rendre dans la salle à manger. Soaz comprit tout de suite en me voyant.

— Le jeune vicomte est encore fâché, hein ?

— Oui, soupirai-je.

— Ne te laisse pas faire, bon sang ! Il faut le mater, il est beaucoup trop fier, ce petit.

— Je vais laisser faire le temps.

— Comme si nous en avions à revendre !

Le soir, Ael prétexta son mal de tête habituel pour ne pas paraître à table. Olivier m'interrogea sur cette première journée de cours comme si de rien n'était. Mais je voyais bien que l'attitude de son fils le préoccupait.

Le lendemain, Ael se plaça encore le plus loin possible et m'ignora. J'en aurais pleuré. Je ne souhaitais pas être mise à l'index durant des mois ! Je me sentais à nouveau seule et glacée. À l'heure du repas, je réussis à lui couper la route avant qu'il disparaisse.

— Je voudrais te parler, Ael. Que puis-je faire pour que toi, tu me parles à nouveau ?

— Rien. Il n'y a rien à faire, répondit-il d'une voix froide. Je t'ai confié mon secret à propos des enveloppes. Pas toi.

Son beau visage, à ce moment-là, était empreint d'une telle aversion que j'hésitai entre la gifle et les pleurs. Je demeurai là tandis qu'il s'éloignait. L'après-midi, je travaillai toute seule. Après tout, il avait raison.

— Votre camarade est souffrant, m'expliqua M. Darbois. Reprenez votre équation, je vous prie.

Je me creusai tant et si bien la tête pour trouver la solution que j'en oubliai Ael et ses sautes d'humeur. Quand le professeur me libéra, à dix-sept heures, je bondis au-dehors pour respirer. Yann était appuyé contre le mur couvert de vigne vierge, non loin de l'arrière-cuisine.

– Puis-je te proposer une promenade? demanda-t-il aimablement. J'ai l'impression que tu en as bien besoin! Je me trompe?

– Je déteste l'arithmétique! La géométrie aussi. Tout ce qui concerne les mathématiques! grognai-je. Alors j'accepte tout ce qui pourra me permettre de les oublier ne serait-ce qu'un instant.

Il rit. Lui au moins, enterrait la hache de guerre et me parlait.

– Ael est-il toujours aussi fâché? ajouta-t-il alors que nous déambulions sous les arbres.

– Il n'a même pas assisté au cours cet après-midi, soupirai-je. Son père va être en colère… Et moi…

Je ne pus achever, la gorge serrée. La pluie avait cessé, mais des gouttes continuaient de tomber des feuilles. Ce bruit était apaisant et triste aussi. Si triste.

– C'est bien simple, continuai-je, je vais me cacher jusqu'à ma majorité et le jour même de mon anniversaire, je partirai d'ici. Loin de lui.

– C'est une très mauvaise idée. Dis-lui ton secret, suggéra-t-il.

— Et toi ? aboyai-je. Lui as-tu dit le tien ?

— Il le connaît depuis notre altercation, tu le sais bien. Loin de moi l'idée de le défendre, mais je pense qu'Ael s'inquiète pour toi. Il ne veut pas que tu aies d'ennui. Ta sortie nocturne le préoccupe.

— Je ne suis plus ressortie depuis ! Même si je le voulais, il ne m'écouterait pas. Il ne veut pas, martelai-je. Il ne veut plus.

— Force-le.

— Justement, je n'en ai pas la force…

— Il faut te battre, Maria ! Je vois bien tes sentiments pour lui.

Je haussai les épaules, rouge et gênée, et nous arrêtâmes d'évoquer Ael. Yann devait sentir à quel point c'était douloureux.

Au bout d'une semaine, la situation n'avait pas évolué. Ael était revenu prendre ses cours, mais il ne parlait qu'au professeur. Je guettais ses apparitions comme un habitant du désert guette l'eau. Un après-midi, alors que j'étais seule sur la lande, je tombai sur Deniel qui s'en allait sûrement vers sa grotte. Il parut ravi de me voir et arriva en courant.

— Salut ! Comment vas-tu ?

— Bien, éludai-je.

— Ael n'est pas avec toi ?

— Monsieur a pris le parti de m'ignorer depuis une quinzaine de jours.

— Ce qu'il est bête ! En même temps, c'est tout lui ça ! s'exclama Deniel. Veux-tu jouer aux cartes ?

— Et comment ! Cela va me changer des mathématiques.

Son sourire s'épanouit jusqu'aux oreilles. Il était solaire tandis que la beauté d'Ael avait quelque chose de crépusculaire, voire de ténébreux. Il m'entraîna en m'étourdissant sous un flot de paroles. Il me fit rire. Souvent.

La partie dura longtemps et devint même un rituel quotidien. Nous nous retrouvâmes tous les jours après mes cours. Peu à peu, nous apprîmes à connaître nos goûts et nos caractères respectifs. Nous ne parlions jamais d'Ael. Je me sentais simplement bien en compagnie de Deniel. Bien sûr, la magnifique figure d'Ael me troublait toujours autant, mais je ne cherchais plus à lui parler. Sitôt les cours achevés, je me précipitais sur la lande pour rejoindre Deniel… et nos fous rires.

Un soir, il m'apprit brutalement qu'il faisait systématiquement faux bond à son père juste pour venir me retrouver. Je n'avais jamais songé à ses propres obligations. Sa révélation me gêna et je demeurai coite. Je l'appréciais désormais suffisamment pour refuser qu'il ait des ennuis.

— Que veux-tu, ajouta-t-il en haussant les épaules, je suis un mauvais sujet.

— Je ne veux pas t'attirer des problèmes.

— Tu n'as pas à culpabiliser. C'est ma décision.

— Ce n'est pas bien, insistai-je.

— Si, parce que c'est pour te voir.

Ses yeux verts prirent une expression très tendre. Mais je refusai de m'y laisser prendre. Je ne voulais pas la voir. Je détournai la tête. Je ne voulais pas non plus qu'il soit malheureux. Il éprouvait pour moi ce que j'éprouvais pour Ael, je le savais depuis le début, et je ne mettais pas les choses au clair. Mon comportement était lamentable.

– Il faut que je parte, dis-je enfin en me relevant à demi sous la voûte basse de la grotte. Mais promets-moi de venir désormais une fois par semaine et de consacrer le reste de ton temps à ton travail.

Sa poitrine se souleva longuement. Il regarda au-dehors.

– Promets-le moi, insistai-je. Sinon je ne pourrai plus venir sans me sentir fautive.

– C'est d'accord, fit-il de mauvaise grâce.

– Très bien. À la semaine prochaine alors, décrétai-je.

Je vis la peine la plus immense qui soit dans ses grands yeux émeraude. Il me sourit et me fit un petit signe de la main. Je hochai la tête puis m'en allai.

Chapitre 10

Coups

Octobre passa, puis novembre, sans qu'il y ait une quelconque amélioration dans mes relations avec Ael. Yann était désolé pour moi et je ne sais pas si Olivier s'était aperçu de quoi que ce soit. Fidèle à ma promesse, je voyais Deniel une fois par semaine. Le reste du temps, je travaillais mes cours ou je discutais avec Bleunvenn et Yann.

Décembre arriva. Un jeudi matin (il n'y avait pas de cours), trois semaines avant Noël, Bleunvenn me proposa de l'accompagner au village.

– Je vais chercher les provisions habituelles et il me faut aussi un peu de ruban noir. Celui de mon chemisier en soie blanc est cassé, expliqua-t-elle.

J'acceptai d'y aller avec joie, pour me changer les idées. À ma grande surprise, Ael, qui déjeunait avec nous, souhaita lui aussi venir. Je décidai de ne pas réagir et de jouer les indifférentes. Il demanda à Bleunvenn de le guider, pas à moi, évidemment. J'offris un masque impassible à Bleunvenn et je gardai le silence tout le long du chemin. Ael aussi se taisait. Seule Bleunvenn parlait, de tout et de rien.

Sitôt arrivée, Bleunvenn entra dans la mercerie Kériadec. En ignorant Ael, qui m'ignorait aussi, je m'approchai de la vitrine du droguiste, située juste à côté. Il vendait quelques jouets et sa devanture était un enchantement visuel. Un train électrique s'était arrêté au pied d'une montagne miniature piquée de sapins givrés. Derrière ce paysage, sur des boîtes recouvertes de velours bleu rehaussé de galons dorés, deux poupées de porcelaine montraient leurs merveilleux atours. Parfois, je regrettais de ne plus avoir dix ans. J'avais possédé très peu de jouets… Des voix brisèrent mon ravissement.

— Tiens, qui voilà ?

Je me retournai vivement. Ael leva la tête. Deux garçons d'environ dix-huit ans, avec des casquettes de marin et des vareuses décolorées, s'avançaient tout en nous regardant d'un air qui n'augurait rien de bon.

Je reconnus l'un d'eux, parce que Deniel me l'avait montré un jour de loin : son frère Alan. Ce dernier cracha avant de ricaner. Je vis Ael se raidir.

— Comment ça va, vicomte de Lordremons ?

Sa voix était tout à la fois moqueuse et agressive. Manifestement, Alan cherchait l'affrontement. Ael demeura silencieux mais serra son poing droit.

— Fichez-nous la paix, grondai-je.

Le deuxième garçon ricana à son tour. Alan se planta devant moi.

— La petite amie de mon frère est bien agressive avec moi…

Je me figeai.

— Est-il au courant ? continua Alan en désignant Ael du doigt.

Ael était désormais très pâle.

— Le vicomte a à peu près ton âge… tu ne lui as pas dit pourquoi tu préférais mon frère ? Les Lordremons te font peur, c'est ça ? Tu crains leur réaction ?

— Tu ne sais pas de quoi tu parles, répliquai-je en essayant de raffermir ma voix. Et ce que je fais ne regarde que moi.

— Il n'empêche que tu as choisi mon frère, et pas Yann ou Ael de Lordremons, insista Alan. Dire que tu habites chez eux… quelle erreur… mais tu ne pouvais pas savoir, en arrivant…

— Savoir quoi ? intervint Ael d'un ton doucereux.

— Que vous êtes dangereux. Néfastes. Cependant, un bienfaiteur de l'humanité a quand même réussi à éliminer ta mère. Je suis sûr que la bagnole a été trafiquée…

Ce fut une erreur. Une grosse erreur. Ael bondit et lui sauta dessus avec la souplesse d'un fauve. Alan tomba rudement sur le trottoir et Ael lui enfonça son poing dans l'estomac.

— Ael ! criai-je, arrête !

Sonné, Alan ne bougeait pas. Ael continua de frapper. Brusquement, un bras le tira en arrière. Eliaz le Goff avait surgi, sans que je le voie arriver.

— Calme-toi, Ael, ordonna-t-il.

Alan Abgrall se releva. Il y avait comme une lueur sanguinaire dans ses yeux. Il était plus grand, plus robuste qu'Ael et pourtant il s'était fait dominer.

— Je t'aurai, menaça-t-il. Tu me paieras ça.

Des gens commençaient à s'arrêter et à se regrouper en chuchotant. Eliaz poussa Ael devant lui et m'appela.

— Au presbytère, vite, grinça-t-il.

Nous nous enfonçâmes dans l'allée derrière l'église. Eliaz repoussa sa porte et guida Ael jusqu'à la pièce où j'avais recueilli ses confidences. Je me rapprochai de la cheminée pour me réchauffer, me souvenant de ce premier soir…

— Alan Abgrall m'a mis hors de moi, expliqua Ael.

— J'ai entendu, répondit Eliaz. Maria, peux-tu aller dans la cuisine, là, tout de suite à gauche, et rapporter un verre d'eau pour Ael ? Prends-en un pour toi si tu veux.

Lorsque je revins, Eliaz observait toujours Ael. Il me prit le verre et le lui posa entre les doigts.

– Il ne faut jamais, jamais te laisser aller à frapper quelqu'un.

Ael avala l'eau d'un trait et tendit le verre qu'Eliaz reprit.

– Pourquoi ? demanda Ael.

Eliaz ne répondit pas. Ael renifla avec mépris.

– Alan Abgrall a prétendu que les Lordremons étaient dangereux, intervins-je.

– La famille existait déjà à l'époque où magie et pouvoirs surnaturels étaient communément admis dans la société, dit Eliaz, visiblement à contrecœur. Les Lordremons actuels sont les héritiers... d'une certaine tradition.

Ael éclata d'un mauvais rire.

– Auriez-vous peur que je me serve de dons... héréditaires et ancestraux ? s'écria-t-il.

Ses yeux couleur de myosotis flamboyèrent, comme traversés par une vilaine lueur.

– Je vais vous ramener au manoir en voiture, éluda Eliaz.

– J'aurai tout entendu, marmonna Ael.

– Et Bleunven ? objectai-je à l'adresse d'Eliaz.

– Elle pourra bien rentrer toute seule, répliqua Eliaz, le regard dur.

Ael était si en colère qu'il s'installa à l'arrière de la voiture en se tournant contre la vitre. Eliaz nous déposa cent mètres avant le manoir. Nous nous taisions. La voiture effectua un demi-tour et disparut. Je me vis dans l'obligation de prendre le bras d'Ael pour effectuer le reste du trajet. Je me tins éloignée de lui le plus possible. Il se dégagea d'un coup sec lorsque nous arrivâmes à la porte de l'arrière-cuisine. Bleunvenn arrivait à son tour en courant.

– Quand je suis sortie de la mercerie, j'ai vu que vous n'étiez plus là, lança-t-elle essoufflée. Des bonnes femmes ont pris plaisir à me raconter tes exploits, Ael. Bravo. Ton père va être ravi.

L'intéressé grogna, haussa les épaules avant de disparaître, la main tâtonnante.

Lorsqu'Olivier rentra, ce soir-là, de tristes mines l'accueillirent à table. Nous savions tous qu'une âme bien intentionnée, au village, avait dû prévenir le Comte des « méfaits » de son fils. Yann lui-même restait sombre et silencieux. Quelque chose planait. Olivier confirma nos doutes quand il observa longuement son fils, d'un air terrible et douloureux. Il posa sa serviette de cuir dans un fauteuil.

– Suis-moi dans mon bureau, Ael.

Bleunvenn et moi, nous nous levâmes et nous nous approchâmes à pas feutrés. Olivier n'avait pas refermé complètement la porte.

– Je pensais que tu avais reçu ce que je pouvais appeler, jusqu'à aujourd'hui, une bonne éducation. Nous ne nous battons pas comme des marins soûls, Ael. Jamais. Jamais, m'entends-tu ? Il ne faut pas !

Ael ricana. Alors, avec une rapidité stupéfiante, Olivier abattit sa main sur le visage de son fils. Ael retomba contre les livres qui encombraient le bureau et les entraîna avec lui sur le sol. Bleunvenn se précipita.

– M. le Comte, non ! Ne le frappez pas !

Ael se redressa et repoussa Bleunvenn ; son beau visage était marqué par la rage. Du sang coulait de sa lèvre fendue.

– Nous ne devons pas nous battre avec les gens, mais entre nous… grinça-t-il.

Olivier s'affaissa dans son fauteuil. J'étais tétanisée. D'un revers de la main, Ael s'essuya la figure, laissant sur ses joues des traînées rougeâtres. Puis il fit face à son père.

– On dirait que tu as peur de ce dont je pourrais être capable… C'est n'importe quoi, marmonna-t-il.

Olivier se tenait les tempes sans regarder l'adolescent furieux.

– Je veux que tu restes dans ta chambre jusqu'à nouvel ordre, dit-il enfin. Bleunvenn t'apportera tes repas.

Ael avança les doigts, trouva un petit vase sur le bureau et le balança d'un revers de main. Le bruit de la porcelaine brisée me fit sursauter. Je décidai de regagner ma chambre. Je m'effondrai sur mon lit et je dormis jusqu'au lendemain matin d'un sommeil de plomb. Lorsque je descendis pour déjeuner et que je demandai des nouvelles d'Ael à Bleunvenn, celle-ci maugréa :

– Ne t'en fais pas, ça va. Quelle histoire…

– Olivier croit-il vraiment qu'Ael…

– Oh, je n'ai aucune envie de le savoir ! coupa la jeune femme. Ne cherche pas plus loin, Maria… Cela vaut mieux…

Chapitre 11

Sorciers ? Magiciens ? Quoi d'autre ?

Les Lordremons étaient-ils vraiment les descendants de ceux qui avaient fait de la Bretagne une terre magique ? Il ne s'agissait que de légendes… Olivier et Eliaz y croyaient puisqu'ils craignaient qu'Ael gère mal ses dons à cause de son épouvantable caractère. Possédaient-ils des pouvoirs eux aussi, en admettant que tout cela soit réel ?

Toutes ces questions trottaient dans ma tête. Je devais me rendre à l'évidence : ils étaient différents. La beauté des Lordremons était d'ailleurs… je n'osai pas formuler, d'une nature autre qu'humaine. Ils étaient humains : j'avais vu Ael saigner. Mais alors… ?

Un dimanche après-midi, un de plus dans une atmosphère très lourde, je partis seule sur la lande en emportant sous le bras *Les Contes du jour et de la nuit* de Maupassant. Il faisait froid. Je me mis donc à l'abri dans la grotte de Deniel et je demeurai là longtemps, emmitouflée dans ma cape. Je finis par fermer mon livre, découragée, déprimée. J'avais été adoptée par une très étrange famille, et j'ignorais où était ma place…

– Maria ! Que fais-tu là toute seule ?

Je sursautai et sortis de ma rêverie : Deniel me fixait, l'air surpris, à quatre pattes à l'entrée de la grotte.

– Laisse-moi, dis-je en détournant les yeux.

– Es-tu fâchée à cause de ce que mon frère a dit à Ael ? Je te présente mes excuses.

– Ce n'est pas à toi de t'excuser.

– Je ne suis pas fier de ce qui a été dit. Mon frère n'arrête pas de s'en vanter. Est-ce pour cela que je ne te voyais plus ?

– C'est plus compliqué, rétorquai-je.

– Il n'empêche que mon frère ne parle pas de la raclée qu'il a reçue d'Ael, qui paraît moins fort et qui ne voit pas. Tu réalises…

– Quoi ? fis-je, exaspérée parce qu'il ne finissait pas sa phrase.

– Les Lordremons sont …

– Dangereux ? ricanai-je. Je sais, tout le monde le dit.

– Ne ris pas. Il y a des choses, par ici…

– Je n'ai rien vu au manoir qui puisse me le confirmer ou me mettre en danger ! explosai-je.

Deniel s'empara autoritairement de ma main et me tira à l'extérieur, dans le froid mordant. Je protestai vivement.

— Qu'est-ce que tu fais ? Où m'emmènes-tu ?

— Chez ma cousine Lusia. Elle te fera comprendre beaucoup de choses. Sur Ael. Sur toi…

Je tentai de me dégager.

— C'est hors de question !

— As-tu peur de voir la vérité en face ?

— Quelle vérité ?

Pour toute réponse, Deniel serra ma main plus fort. Je décidai de me laisser faire. Le trajet s'effectua en silence, jusqu'à une masure nettement à l'écart du village, près de la grève. Le vent soufflait fort. Deniel frappa. Une jeune femme ouvrit. Sa beauté était à couper le souffle. Grande et fine, elle avait une somptueuse cascade de boucles cuivrées qui entouraient un visage sculptural et impénétrable. Ses yeux verts, en amande, possédaient un éclat quasi hypnotique… on aurait dit une fée légendaire…

— Lusia, peux-tu recevoir mon amie Maria et… lui expliquer ?

— Toi, rentre avant le couvre-feu, ou ton père va encore te mettre une raclée, dit-elle d'une belle voix grave.

Et elle referma la porte au nez de Deniel. Médusée, je regardai autour de moi. Le confort était spartiate et les pierres nues des murs accentuaient la sensation de froid. Elle me scruta et j'eus la sensation bizarre qu'elle me lisait et qu'elle savait déjà tout de moi. L'éclat de ses yeux était insoutenable.

— Veux-tu quelque chose de chaud ? s'enquit-elle.

J'acquiesçai. Elle me fit signe de m'asseoir à table et me servit une soupe trop claire dans laquelle surnageaient quelques croûtons. Puis, elle ramena de son cellier un bocal qui contenait un pâté. Je devinai qu'elle me donnait ce qu'elle devait sûrement garder pour des jours exceptionnels. Mon cœur se serra.

— Merci, bredouillai-je. Vous... vivez-vous seule ici ?

— Qui, au village, voudrait de moi ? rétorqua-t-elle en plongeant sa cuillère dans son bouillon avec une grâce incroyable.

J'étais interloquée. Qui n'aurait pas souhaité épouser une femme aussi belle ?

— Nous autres restons souvent seuls, ajouta-t-elle. Les gens normaux sentent que nous ne sommes pas comme eux et fuient.

Ses yeux verts me scrutèrent une fois de plus et elle afficha un curieux petit sourire.

— Des personnes différentes comme moi ou Ael, Maria. Ou comme toi...

Je ne relevai pas. Je n'avais pas la force d'aller plus loin.

— Tu peux t'installer dans la chambre du fond, me dit-elle simplement.

— Mais je veux rentrer...

– Pas pour l'instant, coupa-t-elle.

Nous en restâmes donc là. Curieusement, je dormis très bien, dans cette petite chambre étrangère aux murs blancs. La tisane que Lusia m'avait servie à la fin du repas y était sûrement pour quelque chose... Le lendemain, quand j'ouvris ma porte, j'eus la surprise de découvrir Lusia attablée en compagnie d'Olivier. Il sourit, car je devais sûrement avoir un air effaré. Sa beauté avait retrouvé toute sa sérénité. Il reposa sa tasse de café avec une grande douceur.

– Bonjour, Maria. Je t'ai apporté des vêtements de rechange. Bleunvenn les a préparés après que Deniel nous ait prévenus de ta présence ici.

Je m'avançai, la gorge nouée. Je ne parvenais pas à parler.

– Deniel Abgrall a eu raison de t'amener chez Lusia, continua-t-il. Il n'y a pas de personne mieux indiquée qu'elle pour t'expliquer ce que nous sommes... ce que tu es, toi aussi... Tu as le droit de savoir et l'ignorance t'a certainement rendue malheureuse. Moi-même, j'aurais dû amener Ael ici sans chercher à le préserver...

Il se leva et se pencha pour m'embrasser sur le front.

– À plus tard, Maria.

Pour moi, Olivier de Lordremons devint un père en cet instant, même s'il était peu recommandable aux yeux des villageois. Je savais désormais pourquoi ma mère avait voulu me confier à cet homme. Il serra le bras de Lusia avant de repartir. J'allai me laver et passer d'autres vêtements. Je me sentais mieux. Je voulais savoir. Je voulais que Lusia m'explique.

Dans l'après-midi, j'aidai la jeune femme à trier des restes de pelotes de laine. Je voulais qu'elle m'explique tout. Mais elle demeura silencieuse et je m'en trouvai dépitée. Plusieurs fois, elle eut son petit sourire énigmatique, comme si elle attendait... quoi ?

On frappa. Lusia alla ouvrir, toujours aussi gracieuse, et fit entrer Ael.

– Nous t'attendions, fit-elle.

Mon cœur se mit à cogner de façon désordonnée. Il était plus beau que jamais, les joues un peu rougies par le froid, les yeux brillants, les traits détendus. Ou du moins plus reposés.

– Bonjour, Lusia, dit-il, un peu hésitant. Bleunvenn m'a amené en voiture... sur ordre de mon père. Moi, je ne voulais pas.

Il grimaça, Lusia sourit et le débarrassa de sa cape. Puis elle le fit asseoir sur une chaise dont la paille craqua. Les yeux d'Ael reflétaient l'or brûlant des flammes du foyer. C'était la première fois que je remarquais qu'ils avaient le pouvoir d'absorber les couleurs environnantes. Lusia le regardait d'une étrange façon, avec un mélange de complicité et de respect. Soudain, elle s'approcha de lui, très vite, lui renversa la tête en arrière et lui saisit les tempes entre ses deux paumes.

– Que vois-tu ?

– À ton avis ? Du noir, évidemment, répondit Ael, toujours aussi aimable, en essayant de se dégager.

– Plus loin, s'impatienta Lusia en secouant ses boucles cuivrées. Vers ton esprit. Tu connais les choses de l'intérieur, sans avoir besoin de les voir. Maria a besoin de voir la vérité en face, et toi aussi, jeune homme.

Elle le lâcha soudain, comme si le contact la brûlait. Ael se redressa, crispé, les sourcils froncés.

– Ça suffit, déclara-t-il d'une voix encore plus rauque que d'habitude.

Il tendit le bras et tenta de regagner la porte de la masure.

– Ce n'est pas en fuyant que tu feras disparaître ce que tu es, affirma Lusia.

– Tais-toi, j'en ai marre ! Je n'ai rien en moi ! Mon monde est noir, noir, noir ! Et c'est tout !

– Tu as de quoi voir bien mieux et bien au-delà de ce que voient les gens normaux.

– Arrête ! Je ne veux pas en entendre davantage !

– Tu t'empêches tout seul de te servir de tes dons, c'est dommage. Mais ils jailliront malgré toi et si tu n'apprends pas à les maîtriser…

Ael se mit à sangloter, appuyé contre le mur. Je ne l'avais jamais vu ainsi. Soudain, il secoua la porte et l'ouvrit à la volée. Il s'engouffra dans le mauvais temps, sans sa cape, et seul.

Chapitre 12

Aveux

Je bondis dehors derrière Ael sans réfléchir. Les éléments se déchaînaient. Les arbres ployaient sous l'assaut rageur du vent, l'air mugissait à mes oreilles, la mer se jetait sur le sable avec des gerbes d'écume colérique. Bientôt, les bois et le brouillard m'enveloppèrent sans que j'aie aperçu Ael. Je me retrouvai encerclée par des milliers de fantômes de coton et je me mis alors à crier frénétiquement :

— Ael ! Ael ! Ael !

Soudain, au moment où je crus l'apercevoir, le sol se déroba sous mes pieds. J'atterris rudement sur des cailloux qui déboulèrent sous moi, m'entraînant toujours plus bas. Je criai à nouveau, tentai de planter mes doigts dans la terre, mais je continuai à déraper. Je m'écorchai les mains, les jambes.

Enfin, j'atteignis le fond. Mes doigts saignaient, mes genoux brûlaient, striés de longues traînées rouges et noires. Je demeurai là, inerte, hébétée, sous la pluie qui se déversait en trombes. Je fermai les yeux… les rouvris quand je sentis une main sur mon bras.

– Parle-moi… dit une voix rauque.

– Ael, bredouillai-je.

– Je ne voulais pas… Tu aurais pu te tuer…

– Personne ne m'a forcée à te suivre.

Je le repoussai pour me redresser à demi. J'aperçus alors l'estafilade qui traversait sa joue gauche. Le sang coulait sur sa chemise.

– Ton visage ! m'exclamai-je. Que s'est-il passé ?

– Une branche, éluda-t-il. Et toi ?

– Ça ira, grommelai-je, j'aurai plein de bleus demain, c'est tout. Les éraflures sont superficielles.

– Je t'ai entendue crier, tomber. Tu aurais pu te tuer, répéta-t-il.

– Toi aussi, répliquai-je.

Ses cheveux trempés collaient sur ses tempes. Et sa beauté faisait presque mal : il était très pâle et ses lèvres étaient presque bleues. Il grelottait… et moi aussi. Le froid était saisissant.

– Si nous restons là, nous allons tomber malades, dis-je.

– Je ne suis jamais malade, riposta-t-il.

Il m'attrapa les mains. Ses doigts mouillés étaient glacés. Je frissonnai, pas de froid, cependant. Je dégageai de son emprise une de mes mains et j'effleurai doucement la blessure de sa joue. Puis, je repoussai vers l'arrière ses cheveux de jais trempés. Il n'esquiva pas.

— Mais toi, bredouilla-t-il, il faut que tu te mettes à l'abri.

Nous nous levâmes. Les arbres et la brume nous encerclaient. La pluie continuait, plus forte que jamais. Brusquement, il se pencha et m'embrassa sur les lèvres.

Les siennes étaient douces, mais si froides ! Je ne respirai plus durant quelques secondes, plongée dans ses yeux violets ensorcelants. Je ne sentais plus le froid, sa présence me réchauffait, irradiait dans tout mon corps.

— Rentrons, bégayai-je, ou nous allons vraiment attraper la mort.

Je pris son bras, décidée à franchir le mur de grande brume qui m'empêchait de m'orienter. Je n'avais que son baiser en tête.

— Ael... commençai-je.

— Je t'ai offensée ?

— Quoi ? fis-je, ébahie.

— En t'embrassant, dit-il sauvagement.

— Pas du tout, répondis-je très vite.

Je me sentis devenir cramoisie malgré le froid et je le vis esquisser un fugitif sourire.

— Maria, depuis l'accident, j'ai du mal à savoir où j'en suis... qui je suis, avoua-t-il. Quand Lusia m'a parlé de mes… pouvoirs, je me suis mis en colère, parce que je ne savais pas quoi faire.

— Je crois en toi, dis-je simplement.

Mon rythme cardiaque s'accéléra car il se rapprocha de moi, jusqu'à ce que sa joue frôle la mienne.

— Il y a autre chose, ajouta-t-il. Peu après que tu aies refusé de me parler de ton fameux secret, je me suis souvenu de quelque chose que j'avais oublié.

Il baissa la tête, l'air tourmenté. Je serrai son bras plus fort, pour l'inciter à poursuivre.

— Après l'accident, Eliaz le Goff est venu à mon chevet, expliqua-t-il. J'avais la tête et les yeux bandés mais j'ai reconnu sa voix. Il m'a pris la main, m'a appelé son fils. Il devait penser que je dormais. À la façon dont il a prononcé le mot « fils », j'ai compris… Ce n'était pas religieux, Maria. C'était vrai. Je me suis redressé, mais il est sorti ou s'est réfugié dans un coin de ma chambre, je l'ignore. J'ai crié. Mon père Olivier est arrivé et a cru que c'était à cause de la douleur. Il m'a fait une piqûre qui m'a littéralement assommé. Et j'ai tout oublié… jusqu'à récemment. Je ne voulais pas que tu… fréquentes quelqu'un comme moi. Le fils d'un prêtre et d'une…

— Tu es religieux, toi, maintenant ? Tu m'as fait souffrir en m'ignorant pendant des mois. Te rends-tu compte ? Tu as fait comme si je n'existais plus… Oh, et puis, je peux bien te l'avouer maintenant. Il n'y a plus aucune raison que je me taise, pas après ce que tu viens de me dire.

— Quoi ?

— Ce premier dimanche, à la messe, peu après mon arrivée ...

— Eh bien ? s'impatienta-t-il.

— J'ai deviné que tu étais le fils d'Eliaz. C'était la raison de ma sortie nocturne, c'était mon secret. J'ai décidé d'aller le voir, ce soir-là, et il a confirmé mes soupçons. Je ne voyais pas comment j'aurais pu t'en parler.

— Je comprends... quelle ascendance, hein ? Pourquoi ne fuis-tu pas notre famille le plus loin possible ?

— Ne dis pas n'importe quoi, vous êtes ma famille.

Était-ce la pluie ou les larmes sur ses joues ?

— Je ne mérite pas ton intérêt, dit-il, buté.

— Il fallait y penser avant de m'embrasser.

Je l'entendis respirer très fort.

— Tu devrais écouter Lusia, repris-je. Elle t'aidera à accepter ce que tu es ; et moi, je comprendrai aussi ce que je suis... Je suis gelée...

— Oui, il fait froid...

Il m'entoura les épaules et rapprocha son visage du mien. Ses yeux étaient fermés. Il m'embrassa à nouveau. Et à nouveau, je crus défaillir au moment où je sentis ses lèvres.

– Nous ne sommes plus très loin de chez Lusia, chuchota-t-il. Je le sens. Tu devrais voir sa maison, non ?

– Oui. Je l'aperçois.

Comme si elle avait attendu la fin de notre échange, la pluie cessa. D'un coup.

Chapitre 13

Accepter

Lusia nous attendait sur le seuil, enroulée dans un châle ; ses boucles cuivrées voltigeaient dans le vent salé. Elle nous examina de haut en bas.

– Entrez, allez vous laver, vous changer et je vous soignerai ensuite.

Elle referma la porte derrière nous et alla droit à son buffet. Elle y prit un pot, le posa sur la table. Comme nous ne bougions pas, elle cria :

– Plus vite !

Je m'empressai de rejoindre la chambre que Lusia m'avait attribuée et je jetai loin de moi ma cape et mon gilet détrempés. Je changeai de chemisier. Je ressortis pour aller dans la cuisine. Munie de chiffons, j'entrepris de me nettoyer les bras et les jambes. Le savon piquait sur les plaies. Je rinçai abondamment.

Quand je revins dans la pièce principale, je vis que Lusia tamponnait la joue d'Ael avec un autre chiffon. Ensuite, elle ouvrit son pot, prit sur les doigts un peu d'une pommade épaisse et rougeâtre, avant de l'étaler sur la blessure. Ael grimaça.

– Ça sent très mauvais, dit-il, l'air dégoûté.

– Mais c'est très efficace pour désinfecter et refermer les bords des plaies afin qu'il ne reste aucune marque, répliqua Lusia. À toi, Maria.

Elle me passa la même pommade sur les genoux et les mains. Puis elle se rendit dans sa propre chambre, et revint avec deux couvertures, une qu'elle déposa sur les épaules d'Ael (qui avait enfilé une vieille chemise qui avait appartenu au père de Lusia pendant que je lavais mes plaies), et l'autre qu'elle déplia devant la cheminée.

Elle se redressa et fixa Ael, longuement, pensivement.

– Penses-tu toujours que tu es totalement dans le noir ? interrogea-t-elle à mi-voix.

Il tourna vers elle son beau visage, maintenant marqué. Il haussa les épaules.

– Les anciens Dieux pénètrent nos rêves, y voyagent et s'en emparent lorsqu'ils décident de transmettre à leurs élus des messages, expliqua-t-elle.

Elle s'éloigna à nouveau, prit cette fois un petit bocal sur l'étagère près de son poêle et le remit entre les mains d'Ael, qui ôta le couvercle. Je m'approchai pour humer ce qu'il y avait dedans.

— Ça sent bon, dis-je.

Ael acquiesça et referma le petit bocal.

— C'est... envoûtant, reconnut-il en le posant.

— Il y a de la verveine cueillie à la Saint-Jean de l'an dernier, nous informa Lusia. C'est la base du mélange ; de la sauge pour donner corps aux rêves ; des pétales de rose séchés pour l'initiation ; de l'héliotrope pour la véracité des visions ; du lys en poudre pour être sûr qu'elles se manifestent et enfin de la centaurée pour fortifier l'enchantement. Ces herbes vont t'aider, Ael, à stabiliser tes pouvoirs. La recette date de deux mille ans, elle a donc été largement éprouvée, conclut-elle.

— Et... comment ça fonctionne ?

— Ça se boit.

— Beurk, fit Ael.

— Les Dieux ? repris-je.

— Pour nous, les anciens Dieux existent toujours, même affaiblis. Le christianisme les a diabolisés mais pas tués.

Lusia se pencha et prit doucement la main gauche d'Ael.

— La main gauche des élus déchiffre les secrets du passé. La *sinistra* des Romains ne porte en aucun cas malheur pour nous. Pose ta main gauche sur les objets qui te semblent posséder une histoire.

Ael ferma les yeux et l'ombre de ses cils, à la lumière du feu, s'agrandit davantage sur ses joues.

Puis il pencha la tête de cette façon si particulière qui n'appartenait qu'à lui… et à Eliaz.

– Pourquoi les Dieux me feraient-ils confiance ?

– Pourquoi hésiteraient-ils ? Ils savent qui tu es. Ne me dis pas que tu ne te sens pas différent des autres garçons. Tu es différent.

– Surtout que je suis le fils d'un prêtre, lâcha-t-il avec un drôle de sourire.

Lusia ne parut pas le moins du monde surprise. Elle savait sûrement tout à propos d'Eliaz.

– Pour lire le présent, continua-t-elle, il faudra entrer en toi pour mieux entrer dans le monde, les gens et les animaux qui t'entourent. Il faudra que tu te concentres vraiment, car les créatures vivantes, surtout, ne se laissent pas facilement décrypter.

Ael hocha la tête, rouvrit les yeux, et j'eus la sensation qu'ils se posaient sur moi, ensorcelants, lumineux, même si je savais que c'était impossible. Puis il parut fixer le mur. Dans la cheminée, le feu s'amenuisa, puis flamba plus haut. Était-ce Ael qui avait… Ou les Dieux… ?

– J'ai sommeil, souffla-t-il d'une voix faiblarde.

À tâtons, il chercha et trouva la couverture posée sur le sol, s'y coucha et se recroquevilla en chien de fusil. Lusia s'assit doucement, lui ôta ses chaussures et l'enveloppa le mieux possible dans la seconde couverture. Je me penchai, inquiète ; mais il respirait régulièrement.

— Tu n'as qu'à te reposer près de lui, suggéra Lusia. Je vais t'apporter une autre couverture. Quand tu en auras assez, tu rejoindras ta chambre.

Elle revint très vite avec la couverture et la rabattit sur moi. La fatigue se fit bientôt ressentir. Sans avoir la force de bouger, je m'abandonnai contre Ael. Il sentait les embruns et les fleurs séchées…

— Tu as compris qu'il n'est pas comme les autres, murmura Lusia près de mon oreille.

— Je l'avais compris… dès le début, je crois…

— Il aura besoin de toi…

Je me redressai à demi.

— De quelle façon ?

— La personne qui a tué Azenor ne s'arrêtera pas là. Elle souhaite éliminer tous ceux qui ont des dons : les élus des anciens Dieux, ceux qui possèdent du sang féerique… Elle veut les punir le plus cruellement possible, comme si elle voulait s'effacer elle-même à travers ce qu'elle fait subir à ses victimes. Car cette personne a des pouvoirs elle aussi et elle se déteste à l'idée d'être différente… Elle ne s'est pas manifestée depuis la mort d'Azenor il y a trois ans, mais désormais les choses sont différentes.

— À cause d'Ael.

— Oui. Ael ne l'intéressait pas, mais il va désormais beaucoup l'intéresser puisqu'il s'éveille à sa véritable nature.

— Qui est-ce ?

— Si je le savais, j'aurais déjà essayé de nous en débarrasser. Je sens seulement que cette personne n'est pas loin, qu'elle rôde, et qu'elle aime cela… Elle aime détruire avec des armes magiques autrement plus redoutables qu'un fusil.

Je repensai au soir où je m'étais sentie épiée en sortant de chez Eliaz, et un frisson me parcourut le dos. J'avais risqué la mort. Lusia posa une main apaisante sur mon épaule.

— N'y pense plus pour ce soir, acheva-t-elle.

Sous la couverture, je pris la main d'Ael, très chaude. Le feu ronronnait… Je serrai ses doigts et je m'endormis subitement, dans les lueurs orangées du foyer crépitant. Lorsque je me réveillai, la lumière avait changé. La pièce était baignée de soleil. Ael, parfaitement réveillé lui aussi, semblait me fixer.

— Mince, j'ai dormi là, dis-je.

— Bonjour, me dit-il.

— Bonjour, Ael.

Il sourit. Sa main effleura mon front, mon nez, mes joues, mon menton. Très lentement. Mon cœur battait à tout rompre durant cet examen.

— Il faut que je te voie, puisque toi tu me vois, lança-t-il. J'étais loin dans mes rêves mais je savais que toi, tu étais là, avec moi.

Ses lèvres s'approchèrent des miennes.

— Grâce à toi, je ne vais plus fuir ni me diriger vers la falaise… continua-t-il.

J'écoutais sa voix rauque, je contemplais ses traits, mon cœur battait comme jamais.

– C'est toi qui me donnes la force de découvrir mes dons. Je te fuyais… pour mieux me fuir. En te rejoignant, je rejoins mon identité profonde. Nous sommes profondément liés, Maria. Depuis le jour de ton arrivée, c'était si fort que je te fuyais…

Il nicha son visage dans mon cou et je respirai profondément l'arôme de fleurs séchées qui émanait de ses cheveux noirs. Le destin avait su m'amener vers lui. Enfin, je le serrai fort, très fort.

Chapitre 14

Retour

Dans l'après-midi, nous remontâmes vers le manoir main dans la main, Ael et moi. Olivier ne nous demanda rien à propos de ce que Lusia nous avait appris. Il se contenta de prendre sa mallette et d'examiner la blessure d'Ael. Il la déclara en bonne voie de guérison.

Et c'était un nouvel Ael qui désormais se promenait avec moi sur la lande ou s'asseyait près de moi durant les cours. Un Ael calme, angélique… pour combien de temps ? Chaque matin, il déposait un peu de poudre du bocal remis par Lusia dans son thé. Un jour, Yann surprit le geste de son cousin. Il haussa les épaules et ne dit rien.

De mon côté, je demandai à Soaz de m'apprendre à tricoter. Les restes de pelotes triés avec Lusia m'en avaient fourni l'idée. Noël approchait très vite et je souhaitais pouvoir faire quelques présents, aussi modestes soient-ils. Je travaillai vite et bien, durant les moments où je ne faisais pas la lecture pour Ael.

Ce dernier ne m'avait plus embrassée depuis ce jour chez Lusia. Son comportement était à la fois tendre et distant. Il rougissait, l'air embarrassé, dès que nos doigts se frôlaient et retirait doucement sa main. Lorsque je prenais son bras pour le guider, il ne parlait pas mais souriait. Bien sûr, j'étais horriblement frustrée.

Et la veillée de Noël arriva. Bleunvenn retourna dans sa famille pour l'occasion. Soaz sortit les plus belles assiettes, blanches avec un liseré vermeil. Elle installa les verres délicatement ciselés à l'or fin, qui envoyaient des rayons de lumière à travers toute la pièce ; puis elle plaça au centre de la table une couronne de paille et de branches de sapin qui sentait bon la sève. Pour le repas, Soaz se surpassa, avec le peu dont elle avait pu disposer à cause des restrictions. Mais peu à la campagne signifiait plus qu'en ville : terrine de légumes, gibier aux pommes de terre et gâteau au chocolat. Du chocolat, du vrai, pas de l'Ovomaltine ! Je soupçonnais la rusée bretonne de l'avoir obtenu auprès de Conrad Weiss.

Je m'assis entre Yann et Ael, tous deux vêtus en costume noir pour l'occasion. Je portais une tenue très simple : chemisier blanc, gilet et jupe noirs. Olivier ne tarda pas à nous rejoindre, après avoir aidé à un accouchement dans un hameau isolé.

Ael ne parlait pas, la tête appuyée contre sa main droite. Sa blessure guérissait bien. La cicatrice ne serait pas trop visible… s'il lui en restait une, ce dont je doutais. Une mèche de ses cheveux sombres tombait sur ses yeux. Qu'il était beau, ainsi…

Nous fîmes honneur aux plats de Soaz. Puis nous nous réunîmes au salon. Olivier m'offrit une broche en argent vieilli magnifique : elle représentait une licorne aux yeux de saphir. Yann me tendit un petit paquet, de sa part à lui et de la part d'Ael. En déballant, je vis qu'il contenait deux peignes, eux aussi en argent, pour relever les cheveux et les attacher en arrière. Deux peignes gravés de deux dragons, ciselés avec un luxe de détails incroyable. Les écailles de l'animal, ses griffes ou l'aspect de ses ailes membraneuses étaient parfaitement rendus. L'artiste qui avait réalisé les peignes possédait un merveilleux talent.

Toute confuse, gênée, j'offris mes propres présents : un bonnet pour Yann, une écharpe pour Ael, une autre pour Olivier. Chacun me remercia et un bref instant, je m'imaginai avoir réalisé un chef d'œuvre, alors que j'étais sûre que c'était tout le contraire. Yann enfonça son bonnet jusqu'aux sourcils.

– C'est que les nuits sont fraîches, me chuchota-t-il en faisant un clin d'œil. Mais pourquoi un bonnet alors que les autres ont des écharpes ?

– Je ne sais pas. Tu as une tête à bonnet…

— Ah. Si tu le dis.

Ael palpa son écharpe et m'en demanda la couleur. Lorsque je répondis qu'elle était bleue, il afficha son petit sourire en coin.

— Comme ta robe de soirée, dit-il.

— Oui, comme ma robe.

Olivier apprécia le fait que la sienne soit verte. Enfin, de plusieurs nuances de vert, car je n'avais pas eu assez de laine de la même couleur.

Après, chacun joua du piano. Chacun, sauf moi, car j'ignorais tout de cet instrument. Quant à l'interprétation d'Ael, elle me laissa une fois de plus sans voix. J'aurais tout donné pour qu'elle dure jusqu'au matin, pour que je le regarde jouer aussi longtemps que je l'aurais voulu.

Au moment de me coucher, je posai près de moi, sur la table de chevet, la broche et les deux peignes. Le lendemain, jour de Noël, je descendis au jardin prendre l'air avant le petit déjeuner. J'eus la surprise de découvrir qu'Ael était déjà dehors, lui aussi. Emmitouflé dans l'écharpe que je lui avais confectionnée, il paraissait regarder les arbres du petit bois.

— Est-ce que la nature a une atmosphère particulière les jours de fête ou bien est-ce notre imagination ? pensai-je tout haut, sans vraiment attendre de réponse.

Lorsqu'il se retourna vers moi, je reçus un petit choc au cœur. Tant de choses émanaient de lui…

Des choses si fortes que je ne pouvais les nommer.
Il sourit.

— Je ne sais pas trop, Maria. Je dirais qu'on attribue à la nature des caractéristiques qui dépendent de notre humeur de l'instant.

Puis il leva la tête vers le ciel azuré et dégagé.

— Ael…

— Hum ?

— Je repense à ce que m'a confié Lusia alors que tu dormais…

— Qu'a-t-elle dit ? demanda-t-il doucement, ses yeux violets comme fixés sur moi.

— La personne qui a fait du mal à ta mère n'est pas loin…

— Cette personne paiera, répliqua-t-il posément.

— Lusia m'a dit que cette personne possédait elle aussi des pouvoirs, c'est un être cruel, malfaisant...

— Il ou elle paiera pour ma mère, pour mes yeux… j'ai aussi des pouvoirs, non ?

— Tu ne dois pas faire des choses que tu pourrais regretter, Ael. Elles pèseraient sur ta conscience et te mettraient sur le même plan que cet assassin.

— Est-ce le fait de savoir que mon vrai père est un prêtre qui te met ce genre de convictions en tête ?

— Non, c'est juste la volonté de faire ce qui est bien et d'avoir la conscience tranquille. C'est pour mon confort moral personnel, ripostai-je.

Il émit un rire bref, puis afficha une expression étrange. Il avança la main, m'effleura la joue, le cou.

– Si ça se trouve, il sera tellement puissant que je n'aurai même pas de question à me poser. Il me tuera comme il a tué ma mère.

– Tais-toi.

– Si ma mère n'avait pas été tuée, ma vie aurait pu être différente…

– Tu es quelqu'un de différent des autres, bredouillai-je.

– Toi aussi, répliqua-t-il, tu n'es pas comme les autres filles.

– En quoi suis-je différente ? Lusia et Olivier l'ont laissé entendre, mais…

Il pencha son admirable figure vers la mienne, comme pour m'embrasser.

– Rentrons, dit-il, tu dois avoir faim.

– Pas tant que ça, protestai-je, déçue.

Il rit encore, mais son regard s'était assombri.

Plus tard, mue par un étrange pressentiment, certaine même que je devais y aller, je me rendis à la grotte de Deniel, seule. Je remarquai tout de suite, posé à même le sol sablonneux, un petit paquet recouvert de papier marron. Je le ramassai et le fourrai vivement dans ma poche. Je me sentais prise en faute.

Le soir, dans ma chambre, je déballai le paquet et je découvris un petit coffret en bois grossièrement taillé. Rougissante, je soulevai le couvercle et aperçus au bout d'une chaîne cuivrée, une pierre polie ronde, entre le rouge et le rose, aux reflets ondoyants. Une feuille, soigneusement pliée sous le coffret, tomba par terre. Je m'en saisis.

« *J'ai juste acheté la chaîne. J'ai trouvé la pierre l'été dernier, en plongeant dans une crique. J'attendais l'occasion de te la remettre. Elle porte chance. Deniel.* »

Je rangeai le bijou dans un tiroir. Comment aurais-je pu le porter ? Je portai instinctivement mes mains sur ma tête, là où se trouvaient les deux peignes en argent.

Chapitre 15

Premières manifestations

Nous reprîmes nos cours début janvier. Un matin, je trouvai Ael déjà installé dans la bibliothèque (fait rare chez lui) ; il affichait une expression maussade et préoccupée. Ses beaux yeux d'améthyste en étaient tout assombris.

— Tu t'es levé à cinq heures, comme les moines ? me moquai-je gentiment. Tu n'as pas la figure de quelqu'un qui a profité d'une bonne nuit de sommeil.

— Quelle observatrice ! railla-t-il. Je n'ai presque pas dormi, c'est vrai. Un cauchemar m'a réveillé et je n'ai pas réussi à me rendormir.

Il se renversa contre le dossier de sa chaise avec un soupir ; ses cheveux retombèrent souplement sur son front et je le trouvai très beau, ainsi. Aussitôt, je m'en voulus de ne penser qu'à ce que j'éprouvais pour lui alors qu'il n'allait pas bien. Je m'assis à côté de lui. Je pris sa main.

– Quel genre de cauchemar ? demandai-je d'une voix douce.

Ael repoussa ses cheveux en arrière et soupira de nouveau. Il garda sa main dans la mienne.

– C'était puissant comme la réalité. Je me suis vu, dit-il, étonné. Je tenais… une arme blanche… épée, sabre… je ne sais pas. La lame brillait. J'ai transpercé la poitrine d'une silhouette diffuse, sans couleur, presque évaporée. Je l'ai tuée… devant toi.

– Les rêves ne renvoient pas directement à la réalité, tu le sais bien. Leur message passe par des symboles, des signes.

– Merci de l'information, railla Ael, une fois de plus.

– Ael… fis-je d'un ton plein de reproches.

– Toi, tu criais, tu pleurais, ajouta-t-il.

– Pourquoi ?

– Je ne sais pas. Je ne sais pas non plus où nous nous trouvions, ni qui j'ai tué. J'avais l'impression de voir à nouveau et la sensation a du mal à me quitter. Surtout, je me demande si la Maria que j'ai en ce moment devant moi ressemble à la Maria de mon rêve.

– Si tu as des dons, il est probable que tu m'aies vue telle que je suis, grognai-je.

– Tu rougis.

– Non, fulminai-je.

– Et puis, il y avait du sang, dit-il durement. Sur toi. Ce n'était pas le tien, n'aie crainte... On dirait que tu n'as pas peur de ce que je te raconte !

– Tu as raison, je n'ai pas peur, affirmai-je.

Je ne mentais pas. Être à ses côtés m'empêchait d'avoir peur de ce qui pouvait bien arriver, et j'avoue que c'était une réaction un peu bête. Il tendit le bras, trouva mon autre main, mais M. Darbois entra à cet instant. Ael retira vivement ses doigts et nous nous tûmes.

Je pensai au cauchemar d'Ael toute la matinée. Était-ce la personne qui avait tué Azenor qu'Ael éliminait ? Non, ce n'est jamais aussi facile. Même dans les rêves. Surtout dans les rêves. Frustré par ce cauchemar qui apportait peu de réponses, Ael me confia dès le midi qu'il allait chercher à développer ses dons.

– Tu espères rendre tes visions nocturnes plus précises ?

– Exactement.

Ce même jour, dès que le professeur nous libéra, Ael se rendit dans la salle à manger. Il posa ses mains sur les porcelaines fines du XVIIIe siècle, caressa les caractères imprimés d'un livre qui traînait là et qui appartenait à Yann.

– Que cherches-tu ? demandai-je.

– Rien de précis. J'attends une vision. Je veux la maîtriser, pas qu'elle m'assaille au cœur de la nuit.

— Mais Lusia a parlé de vision du passé, pas de l'avenir. Toi, tu vas trouver ici, parmi tous ces vieux objets, des images du passé, pas de ce qui nous attend…

Je frissonnai, regardai autour de moi sans vraiment savoir pourquoi. Le soir était tombé. J'allumai vivement. Ael rejeta le livre dans l'un des fauteuils. Il tâtonna, agrippa un bibelot posé sur un guéridon. C'était un biscuit représentant une bergère.

L'air attentif, Ael palpa l'objet sous toutes les coutures, en insistant bien de la main gauche, comme l'avait conseillé Lusia. La main droite, elle, lisait-elle l'avenir ?

Soudain, Ael lâcha le bibelot, qui se brisa violemment au sol.

— Ael ! Tu as vu quelque chose ?

— Oui, dit-il à contrecœur.

— Raconte !

— Cet objet a été le témoin, si je puis dire, de réunions qui me font comprendre pourquoi nous avons mauvaise réputation.

— Explique !

Ael se renfrogna.

— J'ai… vu un de mes ancêtres, dit-il avec une mauvaise grâce plus qu'évidente. Pour se distraire, cet homme pratiquait la magie noire. Pas celle des anciens Dieux. Il a invoqué des démons avec ses amis… Ils ont mangé des choses pas vraiment ragoûtantes.

— Comme quoi ?

— Tu veux vraiment ce genre de détails ?

— Mais oui.

— Des chats bouillis, des chouettes rôties.

— Ah, c'est honteux !

— Oui... quels idiots.

— Et les démons ?

— Quoi, les démons ?

— Ils les ont fait apparaître ?

— Moi, en tout cas, je n'en ai pas vu.

L'humeur d'Ael se modifia brusquement. Il éclata de rire. Je l'observai, stupéfaite. Ses cheveux de jais, coiffés en arrière, dégageaient parfaitement son front, ses grands yeux étranges et ses traits ciselés.

— J'ai réussi à avoir une vision, Maria ! En attendant, il va falloir nettoyer ma bêtise... je mets mon héritage en miettes...

J'étais désormais sûre d'une chose : Lusia avait eu raison d'affirmer qu'il verrait mieux que ceux qui possédaient de bons yeux.

Le lendemain, nous sortîmes alors qu'une tempête se préparait. Je ne sais pas ce qu'Ael cherchait, mais moi, j'avais besoin de respirer, là-haut, dans le vent salé. Nous reçûmes une magistrale averse sur le dos. Nous revînmes au manoir complètement trempés. Bleunvenn poussa une exclamation en nous apercevant.

— On dirait des épouvantails !

– Merci bien, grogna Ael en se débarrassant de sa cape et de son pull.

Je ris tout en ôtant à mon tour ce qui pouvait l'être. De toute façon, Ael ne voyait pas, n'est-ce pas ? Bleunvenn attrapait les vêtements au fur et à mesure. Je ne gardai que mon caraco et ma culotte. Ael ôta aussi sa chemise qui collait sur sa poitrine. Je rougis intensément et je l'étudiai à la dérobée : la peau blanche, la finesse des attaches et des muscles me subjuguèrent.

– Je vous conseille d'aller prendre un bain avant d'attraper froid, dit Bleunvenn. Je vais vous chercher des serviettes et des peignoirs.

Pour fuir mon trouble grandissant, je m'échappai dans les escaliers en criant que j'allais chercher des affaires de rechange. Lorsque je revins, Ael était en peignoir devant la porte de la salle de bain, des vêtements dans les bras.

– Yann est déjà en train de prendre un bain, expliqua-t-il. Il va falloir attendre. Il y a bien une autre salle de bain, si tu veux aller te laver chez Conrad Weiss.

– Très drôle ! grognai-je. Quel humour, Ael !

J'avisai les vêtements qu'il avait dans les bras.

– C'est quoi, ça ? Bleunvenn a ramassé nos vêtements.

– Ce sont les affaires de Yann, dit-il en s'esclaffant.

– Tu les lui as prises ?

– Oui. Quand je suis entré dans la salle de bain, il a osé me dire de revenir dans une heure. Je l'ai entendu mettre la tête sous l'eau. Alors j'en ai profité pour chercher ses affaires. Il va devoir sortir nu comme un ver, car j'ai aussi pris sa serviette. Cela lui apprendra à vouloir me faire poireauter si longtemps !

Je lui pris les vêtements afin de les plier correctement. Comme je soulevais le pantalon, une montre tomba de la poche. Ael s'abaissa, la chercha à tâtons et la ramassa. Ses traits se figèrent, il devint très pâle et rejeta l'objet loin de lui. D'abord, je n'osai bouger. Puis je m'avançai vers lui. Il sursauta quand je lui pris le bras.

– Qu'y-a-t-il ? le pressai-je. Raconte !

Ael se passa lentement une main sur le front, les yeux.

– Mon Dieu, souffla-t-il.

Je serrai plus fortement son bras.

– À Paris, dit-il enfin, Yann et ses compagnons ont fait sauter trois camions allemands qui transportaient des œuvres d'art volées.

– Toi et moi, nous savons pertinemment que Yann se livre à ce genre d'activités.

Les beaux traits d'Ael se crispèrent davantage. Sa pâleur était saisissante.

– Mais la suite de l'opération a mal tourné, expliqua-t-il. Ils sont tombés sur une patrouille. Pour l'éviter, la petite amie de Yann a fait une embardée et a perdu le contrôle de sa voiture. Elle est morte dans un champ en contrebas de la route, près de Fontainebleau. Depuis l'autre voiture, en compagnie d'un ami à lui, Yann a tout vu…

Ael s'interrompit, le poing devant la bouche, et la porte de la salle de bain s'ouvrit doucement.

– Tu peux être fier de tes pouvoirs, Ael de Lordremons, murmura Yann. Toi et Maria, vous savez désormais tous les deux la raison pour laquelle j'ai quitté Paris.

J'étais gênée ; à cause de ce secret dévoilé et parce que Yann était entièrement nu. Il prit ses vêtements des mains d'Ael. Il enfila juste son caleçon avant de s'éloigner, les cheveux dégoulinants. À voir ses yeux embués, j'étais sûre qu'il pleurait.

Sans dire un mot, Ael s'enferma dans la salle de bain. Je revins une heure plus tard pour me laver à mon tour. Il ne me parla pas, et partit très vite. Lorsque je retournai dans ma chambre, j'y découvris Ael, assis dans l'un des fauteuils verts. Il portait un pantalon noir aux plis impeccables, une chemise blanche et un pull marron clair. Ses cheveux noirs étaient soigneusement peignés. Je me sentis rougir, car j'avais encore en moi l'image de lui à demi nu…

– Ael… chuchotai-je.

– Je revois la morte, avoua-t-il. Dans ma tête. Je n'arrête pas de voir ses cheveux blonds sur le tableau de bord ensanglanté…

Il se pencha en se prenant les tempes entre les mains. Je posai les miennes par-dessus après m'être agenouillée.

– Ça passera… Nous savions tous deux que gérer ce genre de pouvoirs serait difficile, dis-je d'une voix que je voulais apaisante.

En même temps, je pensais que cela devait être d'autant plus choquant qu'Ael lui aussi avait été victime d'un accident de la route, trois ans plus tôt. Il n'était peut-être pas mort, mais cela lui avait coûté la vue… à un âge où commence l'adolescence, à un âge où l'on a tout l'avenir devant soi… Ael avait aussi perdu un être cher dans l'accident… sa propre mère.

– J'en verrai d'autres, énonça-t-il enfin. Je ne vais pas abandonner pour autant… plus maintenant…

– J'ai l'impression que tu lis ce que je pense, dis-je sans vraiment réfléchir. Ta réponse correspond à ce que je me disais au même moment.

Ael retira ses mains comme si mon contact le brûlait. Il rougit.

– Je m'efforce de ne pas le faire… avec toi, Maria. Tout comme je m'efforce de contrôler mes humeurs. Dans les deux cas, c'est… compliqué.

Ael découvrait les avantages et les inconvénients de ses dons. Il apprenait que toucher à la vie privée des autres n'était pas sans conséquences. Et je souhaitais le soutenir, malgré ce qu'il venait de me révéler. Il parvenait à me lire comme il lisait les objets. Ah, l'horreur ! Savait-il à quel point j'étais amoureuse de lui ?

Chapitre 16

Premier avertissement

Février arriva. L'air était doux. Je n'avais pas revu Deniel, malgré plusieurs visites à la grotte. Cela m'inquiétait. De plus, je ne souhaitais guère descendre au village. Il était inconcevable que je tombe sur son père ou, pire encore, sur Alan. Je craignais que ce dernier n'y trouve un moyen de se venger d'Ael.

Ael qui s'était enfoncé dans une profonde tristesse. Son mutisme se prolongeait. Il pouvait se passer des heures sans qu'il m'adresse un mot. Il se contentait de serrer mes doigts très fort. Je ne lui avais pas reparlé de ses confidences. Bien sûr, je ne désirais pas qu'il lise mes pensées et je m'efforçais, de toutes mes forces, de fermer mon esprit.

Ael passait de longues heures derrière son piano quand il n'était pas en cours. Son jeu, toujours vertigineux, s'était cependant modifié. Je croyais y déceler une lenteur profonde qui me renvoyait à sa culpabilité. J'imaginais qu'il s'en voulait d'avoir fouillé le passé de Yann, d'avoir fouillé mes pensées… d'être ce qu'il était ? Ses grands yeux violets, largement cernés, m'envoûtaient plus que jamais… et je ne pouvais m'empêcher de me dire que les gens de Saint-Rieg trouvaient les Lordremons dangereux. Devais-je avoir peur d'Ael ? Devais-je craindre ses dons ? Devais-je m'enfuir ?

Un soir, un lundi, je crois, on tambourina à la porte de ma chambre. Je sursautai, lâchai mon livre qui tomba sur le parquet. Sans même attendre que je descende de mon lit et que j'ouvre, Ael bondit, les cheveux ébouriffés.

– Il faut aller chez Eliaz le Goff ! Vite !

– Quoi ? Là, maintenant ?

– Oui. Sauf si tu ne veux pas m'accompagner.

– Bien sûr que je veux t'accompagner ! m'exclamai-je. Explique-moi.

– Je… j'ai vu que ça allait arriver.

– Mais quoi ?

Il ne répondit pas à cette question.

– Es-tu habillée, Maria, ou en chemise de nuit ?

– Je suis habillée. Je n'ai qu'à enfiler des chaussures. Veux-tu que nous prévenions Yann ? Nous irions plus vite s'il nous emmenait en voiture.

– Tu as raison, dit-il à contrecœur.

Tout comme moi, Yann lisait dans sa chambre lorsque nous fîmes irruption. J'eus une appréhension, car depuis l'histoire de la montre, il se tenait ostensiblement à l'écart. Il se redressa, les sourcils froncés, tandis qu'Ael exposait sa requête. Son regard bleu était dur comme l'acier. Il ne dit pas un mot et s'habilla posément : veste, chaussures.

– C'est bon, allons-y, déclara-t-il enfin. Ael, si tu nous disais ce qui va se passer exactement ?

– L'église va être détruite.

Yann considéra le visage de son cousin.

– Comment sais-tu que ça va se produire cette nuit ? Et pas dans trois semaines, trois mois ?

– Ça s'est imposé comme une évidence. Je l'ai ressenti.

– Très bien, filons. Et pas de bruit, surtout.

Ael sourit. Son superbe visage aux yeux cernés s'en trouva éclairé.

– Merci, Yann.

Yann esquissa à son tour ce qui ressemblait le plus à un sourire. Il conduisit très vite, et qui plus est, tous feux éteints. Sa dextérité montrait qu'il avait l'habitude de ces sorties nocturnes où il importe d'être rapide et invisible. Il avait évidemment pris la Citroën noire qui se fondait dans l'obscurité. Il se gara sans un bruit dans une rue parallèle au presbytère.

– Je reste derrière le volant pour être prêt à repartir le plus vite possible. Je surveille les alentours. Dépêchez-vous d'aller prévenir le Goff avant que des Allemands se pointent.

La lune, poudreuse et pleine, éclairait parfaitement les rues. Sans doute un peu trop. Je saisis la main d'Ael et l'entraînai. Son pas s'avéra plus souple et silencieux que le mien. Je cognai plusieurs fois le heurtoir mais il n'y avait personne au presbytère. Aucune lumière ne filtrait à travers les volets et on ne vint pas ouvrir.

– A l'église ! souffla Ael.

Nous y courûmes le plus vite possible, main dans la main. Je poussai énergiquement la lourde porte et la refermai derrière nous. L'odeur des lieux s'imposa tout de suite à moi, cette senteur de salpêtre et de bougie consumée si caractéristique. Le bruit de nos pas se répercuta le long des murs, sous les arcades. Au fond, les bougies éclairaient l'autel et la figure d'Eliaz le Goff, qui nous scruta en silence. Ael ôta la capuche de sa cape et je l'imitai.

– Il me semblait bien que c'était vous, lâcha finalement Eliaz.

– Tu n'étais pas au presbytère, expliqua Ael, et sa voix étrange résonna dans toute l'église.

– J'aime venir ici la nuit pour réfléchir, dit Eliaz. Approchez…

Nous obtempérâmes et Eliaz serra Ael sur son cœur.

— Père, commença Ael.

Je vis Eliaz tressaillir. Puis il étudia attentivement, à la lueur des bougies, la figure levée vers lui.

— Maria n'a rien dit, continua Ael. Je me suis souvenu, c'est tout.

— Souvenu ?

— De ce jour où tu t'es trahi... où tu m'as appelé ton fils.

Eliaz le serra à nouveau contre lui.

— Je sens aussi que tu as accepté tes dons... ceux d'Azenor. Ceux des anciens Dieux...

Ael acquiesça et se dégagea doucement de l'étreinte de son père.

— Écoute, dit-il, nous n'avons pas beaucoup de temps... Il va...

Ael n'acheva pas sa phrase. La seconde suivante, il me poussa derrière l'autel en criant à Eliaz d'en faire autant. Ma tête cogna rudement le sol. Puis l'explosion fit vibrer les vieux murs et une pluie de verre provenant des vitraux tomba sur nous.

J'étais à moitié assommée. Je sentais le corps d'Ael contre le mien. Eliaz lâcha un juron quand le silence revint. Pas très catholique, d'ailleurs. Des étoiles rouges dansaient devant mes yeux, et mes oreilles bourdonnaient. L'obscurité s'était abattue. Toutes les bougies avaient été soufflées. La voix d'Ael brisa mon engourdissement.

— Est-ce que ça va Maria ?

— Oui. Oui, je crois.

– Père ?

– Oui, Ael.

Je me redressai sur un coude. Tout était noir, si noir ! Finalement, les étoiles rouges s'estompèrent et je distinguai la silhouette d'Ael grâce à la lumière de la lune.

– Ael, dit Eliaz, tu savais ce qui allait arriver ? Tu venais me prévenir ?

– Oui, murmura Ael.

– Maria, aide-moi à chercher des chandelles, reprit Eliaz.

Je cherchai à tâtons, comme aurait pu le faire Ael. Une poussière, laiteuse sous la lune, voletait et me faisait tousser. Enfin, je touchai un cylindre clair. Je me brûlai les doigts avec la cire mais je parvins à redresser cette chandelle dans son bougeoir.

– J'en ai une, avertis-je.

– J'arrive, dit Eliaz. J'ai un briquet.

Il jura une fois de plus quand il se prit les pieds dans une chaise renversée. J'y voyais de mieux en mieux, et je le regardai progresser vers nous. Ael ne bougeait plus, ne disait plus rien. Enfin, Eliaz mit son briquet contre la mèche et la petite flamme jaune monta doucement. Ael avait rabattu sa capuche.

– Il faut sortir d'ici avant que quelqu'un arrive, dit-il.

Je pris sa main et nous traversâmes l'église peuplée d'ombres. J'arrivai à voir que la statue de plâtre de la Vierge avait été entièrement émiettée. Mais qui avait fait ça ? Pourquoi ? Comment ?

Comme s'il lisait mes pensées (j'espérais que non), Ael grinça :

– À ton avis ? C'est l'œuvre de celui qui a tué ma mère.

Eliaz nous rejoignit en courant et serra le bras de son fils, une fois tout le monde dehors.

– Partez, il faut que je retourne à l'église faire comme si j'étais seul là-bas au moment de l'explosion.

Ael chancela. Eliaz le dévisagea, sous la lune impassible, et voulut le soutenir, mais Ael esquiva habilement.

– Il faut te soigner, dit Eliaz d'une voix sourde.

– Je sais, coupa Ael. Rien de grave.

C'est alors que je réalisai que si je n'avais rien, c'est parce qu'Ael m'avait protégée. Il me fut impossible de distinguer sa figure, car il se détourna, sous sa capuche. Yann accourut.

– Vite ! cria-t-il. Avant que les villageois et les Allemands se décident à venir voir ! Bon sang ! Je surveillais l'église, pourtant ! Et je n'ai rien vu... quelle explosion !

Il bouillait littéralement.

– Je n'ai rien vu de suspect ! répéta-t-il. Comment ça se fait ?

Il enfonça son poing dans le capot de la voiture.

– Montez, vite ! cria-t-il encore.

Yann conduisit encore plus vite qu'à l'aller. Nauséeuse, je m'accrochai à la portière.

— Je n'aurais jamais dû vous emmener ! gronda Yann tout le long du chemin. Heureusement que le prêtre est sauf… C'est au moins ça de gagné.

Les pneus crissèrent sur le gravier devant le manoir. Je tremblais à l'idée que les Allemands qui logeaient à l'arrière surgissent, mais non. Ael tomba lourdement sur moi au moment où Yann éteignait le moteur.

— Yann, je crois qu'Ael s'est évanoui, bredouillai-je.

Yann sortit à toute allure pour ouvrir la portière arrière. Ael pesait tout contre moi.

— Maria, va chercher mon oncle, je m'occupe d'Ael.

Bleunvenn sortait de la cuisine, un verre de lait à la main et en robe de chambre, lorsque je fis irruption dans le hall.

— Que s'est-il passé ? Où étais-tu ? Tu es couverte de plâtre ! s'exclama-t-elle.

— Où est Olivier ?

— Dans son bureau, je crois, mais…

Je courus sans lui répondre. J'ouvris à la volée la porte du bureau.

— Ael est blessé ! criai-je.

Olivier ne mit qu'un bref instant pour réagir et se lever. Il s'empara de sa mallette et me suivit. Yann arrivait, son cousin sur le dos.

— Porte Ael sur le sofa, lui dit Olivier d'une voix sourde. Il faut que je l'examine...

Il était très pâle et son regard était devenu noir. Je me tins derrière lui tout le temps que dura l'examen.

— Il n'a que des plaies superficielles, à l'arcade sourcilière et à l'épaule, murmura-t-il enfin. Il se redressa.

— Je vais chercher de quoi extraire les bouts de verre et effectuer des points de suture.

Avant de sortir, il fit face à Yann, avec une drôle de lueur dans les yeux. Yann baissa les siens. Je m'approchai d'Ael. Il reprenait conscience. Mais Olivier revint et lui enfonça une seringue dans le bras. Ael replongea aussitôt dans le sommeil, ou presque.

Ensuite, Olivier ôta les bouts de verre, désinfecta et effectua tous les points de suture nécessaires. Je vis tout, le cœur au bord des lèvres. Puis il prit l'adolescent dans ses bras, sans aucun effort apparent. Je le suivis. Appuyé contre le mur du couloir, les bras croisés, Yann attendait.

— Je monte Ael dans sa chambre. Yann, Maria, attendez-moi là.

Quand il redescendit, nous n'avions pas échangé un seul mot, nous n'avions pas bougé. J'étais semblable à une statue. Pétrifiée.

– Que s'est-il passé ? demanda-t-il. Yann, les as-tu emmenés avec toi pour accomplir tes activités de résistant ? Alors qu'Ael ne voit pas !

Yann se taisait, très pâle, la mâchoire crispée et le regard assombri.

– De toute façon, lâcha enfin ce dernier, tu le sauras bien assez tôt. L'église de Saint-Rieg a sauté… en partie.

– Pourquoi avez-vous fait ça ? interrogea Olivier l'air interloqué. Et pourquoi Ael et Maria sont-ils couverts de plâtre et pas toi ?

– J'attendais dans la voiture, comme un lâche, répondit Yann.

Je m'interposai aussitôt.

– Yann ne dit pas tout ! Nous n'étions pas avec les résistants ! m'écriai-je. Ael a eu une vision de l'explosion et a voulu prévenir Eliaz. Yann nous a juste conduits en voiture !

Les larmes me brûlaient les yeux. Pourquoi Yann voulait-il endosser toutes les responsabilités ? Parce qu'Ael avait été blessé et pas lui, le résistant ? La scène rappelait-elle l'accident mortel de sa petite amie, et le fait que lui s'en était alors déjà sorti indemne ?

Olivier se laissa tomber sur le sofa, au milieu des compresses ensanglantées. Bleunvenn s'approcha pour les enlever.

— Mon Dieu, souffla-t-il, les traits altérés. Ael a des visions, il s'éveille à ses dons. C'est bien un enfant des Dieux… Allez vous coucher…

Je pris d'abord un bain pour enlever toute la poussière. Je restai longtemps dans l'eau sans avoir le courage de me décider à me sécher et à passer des vêtements. Après avoir enfilé ma chemise de nuit, je me coulai dans mon lit, mais je ne parvins pas à dormir. Je guettai l'aube derrière les rideaux.

Quand la brume, éclairée d'une lumière rose et vaporeuse, monta à l'assaut du manoir, je sortis de ma chambre et gagnai celle d'Ael. Il était réveillé : à mon entrée, il tourna la tête vers moi et sourit. Son arcade sourcilière, recousue avec du fil noir, était tuméfiée et enflée, mais ses yeux violets brillaient dans le faible jour.

— Comment te sens-tu ? chuchotai-je en lui prenant la main.

— Mieux. Comment mon père a-t-il réagi ?

— Très mal, tu peux l'imaginer aisément. Je crois qu'il a eu très peur. Moi aussi, j'ai eu peur.

Ael garda le silence. Je caressai ses doigts.

— Yann a tout pris sur lui, tu sais, repris-je.

— C'est vrai ? Mais c'est n'importe quoi !

— Oui. Il culpabilise.

Les beaux traits d'Ael se durcirent et il se redressa dans son lit. Puis il grimaça, en se tenant l'épaule.

— Il faut que Yann m'explique lui-même pourquoi il a fait cela, dit-il.

— J'ai dit à Olivier ce qui s'était réellement passé, précisai-je. Reste couché. Nous verrons plus tard.

Il retomba sur son oreiller, repoussa ses cheveux loin des points de suture.

— C'est l'heure des fées, murmura-t-il. L'heure d'une ultime danse avant qu'elles sautent dans la brume pour s'en aller dormir… J'aime et j'appréhende l'aube. La fin d'une nuit, le début d'une autre journée, dont on ne sait pas de quoi elle sera faite. Je crois que cette appréhension habite beaucoup d'êtres humains. Notre appréhension à nous est de nous demander quelle sera la prochaine action de l'ennemi.

Un oiseau lança son trille mélodieux, puis le silence recouvrit de nouveau la lande.

— Je ne suis plus aussi fataliste depuis que j'ai tant de visions, ajouta-t-il. J'aurais dû les solliciter bien avant. Nous n'allons pas nous laisser faire.

— Bien sûr que non! Mais cette nuit, tu aurais pu être grièvement blessé, fis-je.

— Toi aussi, tu aurais pu être blessée, Eliaz aussi. C'est pour cela qu'on doit faire quelque chose. Pour que ça s'arrête. Notre ennemi est responsable pour l'église. Un ennemi que tu as senti toi aussi, le soir où tu t'es rendue auprès d'Eliaz.

Je fronçai les sourcils. Il avait bel et bien lu mes pensées. Mais je m'abstins de tout commentaire, ce n'était pas le moment. Ael repoussa sa courtepointe et se leva, raide dans son pyjama bleu pâle.

— Il faut que tu restes couché, insistai-je.

Il hocha négativement la tête et se chaussa. Je soupirai et lui emboîtai le pas. Il était beaucoup trop têtu pour moi.

Lorsque nous entrâmes dans la salle, nous nous retrouvâmes devant Olivier qui buvait un café, seul, en lisant le journal. Il avait les traits tirés.

— Tu devrais être au lit, Ael ! s'écria-t-il, mécontent, en nous apercevant.

— Je vais bien, répliqua fermement Ael. Cette nuit, je savais qu'il allait se passer quelque chose. Il fallait que je prévienne Eliaz, comprends-tu ? Parce qu'il est mon…

Ael se tut. Olivier le considéra longuement. Bleunvenn passa la tête dans l'embrasure de la porte.

— M. le Comte, le père le Goff est dans l'office. Il est venu prendre des nouvelles d'Ael.

— Fais-le entrer, Bleunvenn, et apporte une tasse supplémentaire.

Dès qu'il fut dans la pièce, Eliaz salua d'abord Olivier puis il examina, l'air inquiet, la figure pâle d'Ael.

— Il va bien, dit Olivier.

Pour la première fois, je voyais les deux demi-frères face à face, sans les fidèles qui fréquentaient l'église pour empêcher toute intimité.

— Je te présente mes excuses pour les blessures infligées à Ael, dit Eliaz.

Son regard bleu déterminé tranchait sur le noir austère de son habit.

— Puisque je vous dis que ça va ! bougonna Ael.

— Tu n'as aucune excuse à présenter, ajouta Olivier. Ce n'est pas de ta faute, Eliaz.

Il reprit sa tasse et la porta à ses lèvres, tout en faisant signe à Eliaz de s'asseoir et de se servir. Eliaz hocha la tête pour le remercier, prit une chaise et se versa du café.

— Ael, dit Olivier, va donc passer une robe de chambre ou habille-toi avant de t'installer avec nous. Il fait un froid glacial ce matin.

Ael n'émit aucune objection. Je choisis de l'accompagner pour laisser les deux frères ensemble. Allaient-ils parler de ce qui s'était passé à l'église ?

— Cette explosion est un message, Maria, murmura Ael. L'ennemi me prévient. Maintenant que je développe mes dons, je deviens gênant. Comme ma mère.

— Lusia le savait, renchéris-je. Elle savait qu'il s'attaquerait à toi.

Chapitre 17

Soupçons

Une fois ma toilette achevée, je rejoignis Ael en bas. Il portait des vêtements simples à enfiler, à cause de son épaule : chemise blanche, gilet gris. En compagnie d'Olivier, il saluait Eliaz qui partait.

– Au revoir, Maria, me dit ce dernier. Prends soin de toi… et d'Ael…

Je le saluai à mon tour.

– Je vais jouer du piano, me dit Ael. Ça me calme souvent. Viens-tu ?

– À quoi penses-tu ? À l'ennemi ?

– À qui d'autre ? riposta-t-il.

Je me plaçai à côté d'Ael devant l'instrument. L'odeur de ses cheveux m'étourdissait. Me calmait, moi.

– Voyons si je peux jouer uniquement de la main gauche, suggéra-t-il. Ça ne va pas être terrible.

Il allait tenter l'expérience quand Conrad Weiss frappa sur la porte ouverte, par pure politesse, avant d'entrer. Il n'affichait aucun sourire. Il n'avait rien de l'officier mondain que j'avais côtoyé. Son expression était fermée. Weiss fixa le visage tuméfié d'Ael, s'arrêta brièvement sur moi, revint à Ael, l'œil dur. Je me crispai malgré moi.

– Bonjour, vicomte. Puis-je vous demander où se trouvent votre père et votre cousin ? Je souhaiterais m'entretenir avec vous tous.

Je me sentis blêmir. Ael releva fièrement la tête.

– Mon père s'apprête à partir pour ses visites, et mon cousin doit être dans sa chambre, je suppose, répondit-il calmement.

Je remarquai cependant que son poing gauche s'était refermé presque convulsivement sur sa cuisse. Bien sûr, moi seule pouvait apercevoir ce geste.

– Je suis là, intervint Yann en surgissant dans l'embrasure. Je vais chercher mon oncle avant qu'il s'en aille.

Les deux revinrent peu après. Je me tenais toujours près d'Ael. Weiss s'installa dans un fauteuil, Yann et Olivier s'assirent sur le sofa, en silence.

– J'aime beaucoup votre famille, commença Weiss, mais je n'aime pas que vous me forciez à choisir entre mon affection pour vous et mon devoir.

– Et pourquoi devriez-vous faire ce choix ? s'enquit Yann.

— Yann, cessez de ruser, je vous prie. Je vous ai vu revenir en voiture, cette nuit. Après le couvre-feu. C'est... gênant. Très gênant. D'autant plus que vous portiez le vicomte et que je le vois blessé ce matin. Je n'ai donc pas rêvé.

— Mon fils est infirme, répondit Olivier, l'air buté. Il est aveugle et par conséquent il tombe souvent.

— La nuit, hors de chez lui ? Que fait-il dehors ?

Weiss se renversa au fond de son fauteuil en soupirant. Olivier garda le silence.

— Évidemment, vous ne direz rien. J'ai certes envie de me taire et de ne pas faire le rapprochement avec l'explosion qui a secoué l'église de Saint-Rieg, à peu près à la même heure.

— Suivez vos envies, suggéra Yann, railleur.

— Docteur, raisonnez ces jeunes gens. Même Maria était sortie cette nuit.

Olivier releva les yeux vers le lieutenant.

— Considérez que nous sommes parfois obligés d'aller à l'encontre des règlements, Weiss, murmura-t-il.

— Des règlements que je dois faire respecter.

— Je peux vous faire le serment que les trois jeunes gens que vous voyez en ce moment n'ont rien fait de mal, dit Olivier. Ils sont innocents.

— Oh, je ne les imagine pas en train de faire sauter l'église, c'est certain. Mais je ne m'explique pas leur présence sur les lieux. Les contusions que j'aperçois sur le visage de votre fils attestent cette présence. M'expliquerez-vous ?

Nous gardâmes tous le silence, bien évidemment. Conrad Weiss se releva.

– Admettons que je n'aie rien vu, cette nuit. Votre fils est tombé… des rochers ? Cependant, j'aurais beaucoup aimé que vous me donniez une explication.

– Si on vous la donnait, vous ne la croiriez pas ! s'exclama soudain Ael en se relevant.

– Vraiment ? s'étonna Weiss, manifestement amusé. Quelle impétuosité, vicomte !

Il gagna la porte.

– Je vous laisse vos secrets… pour cette fois-ci. Faites attention à vous. Je ne suis que lieutenant. Je ne prends pas toutes les décisions, encore moins les plus importantes.

– Nous nous en souviendrons, affirma Olivier.

Weiss sourit en se tournant à demi.

– Très bien. Bon rétablissement, vicomte.

Ael maugréa quelque chose que je ne compris pas. Weiss nous regarda tous et sortit, comme à regret.

Ael gagna le centre de la pièce, une main en avant.

– Et toi, Yann, peux-tu m'expliquer pourquoi tu as tout pris sur toi ? C'est moi, uniquement moi, qui t'ai demandé de m'emmener chez Eliaz ! cria-t-il. Tu le sais !

— Et c'est moi qui suis resté dans la voiture, répondit Yann, l'air dur. D'habitude, je suis en première ligne. Et c'est la deuxième fois que je m'en sors alors qu'un proche est touché. Peux-tu comprendre mon malaise ?

— Oui. Mais tu n'as commis aucune erreur.

— Si. Une énorme. Je suis resté dans la voiture, car je me disais qu'il ne se passerait rien, que tu arriverais à éliminer le risque.

— Tu m'as fait confiance, dit Ael, l'air satisfait.

— C'est fini, n'en parlons plus, intervint Olivier. Il faut que j'y aille. Mes patients m'attendent.

Ael grimaça et attendit que son père soit parti pour déclarer :

— Yann, ne culpabilise pas. Pour l'instant, j'apprends. Et je peux te jurer que...

— Je vais continuer à te faire confiance, répondit fermement Yann. Tout en essayant de te protéger le mieux possible.

Chapitre 18

Deniel

Bleunvenn s'esclaffa en rentrant des courses.

— Le trou dans le mur de l'église est visible comme le nez au milieu de la figure ! Il fallait les voir se dévisager, au village. L'épicière a regardé mes coupons de rationnement comme si je venais de les fabriquer dans la cave. La gendarmerie est sur place. Chacun surveille son voisin.

— Tant mieux ! avouai-je.

— Que fais-tu ? s'enquit Bleunvenn en se penchant par-dessus mon épaule.

— Mes devoirs, dis-je en grignotant le bout de mon crayon mine. Le professeur est souffrant.

Bleunvenn s'assit.

— Pourquoi travailles-tu ici dans la cuisine, et pas dans la bibliothèque avec Ael ?

— Je me concentre mieux lorsque je suis un peu éloignée de lui, répondis-je en rougissant.

Elle me sourit, l'air entendu.

— J'ai croisé Conrad Weiss, ajouta-t-elle. Il m'a dit que les Allemands ne croyaient pas à la culpabilité des résistants. Pourquoi s'attaqueraient-ils à une église ? Cela n'a pas de sens. Les Allemands font désormais davantage de patrouilles, en tout cas. Crois-tu... ?

— Quoi ?

— Que cette explosion ait une origine... surnaturelle ?

— Oui, dis-je, clairement et fermement.

— On dirait que ça ne t'effraie pas, comme si tu avais toujours vécu ici. Comme si tu avais toujours vu ce genre de choses.

— J'ai cette impression, avouai-je.

— J'aurais pu quitter ce travail quand je me suis aperçue que les Lordremons étaient étranges. Mais je n'ai pas pu m'y résoudre.

Elle se détourna et nous en restâmes là. Dans l'après-midi, Ael et moi nous nous installâmes dans un minuscule salon inoccupé du premier étage. Nous éprouvions tous les deux le besoin de nous isoler après la nuit que nous avions passée.

Je n'avais jamais vu cette pièce, et le tableau accroché au mur me sauta aussitôt aux yeux. Il s'agissait certainement de celui dont Ael m'avait parlé, celui que ma mère avait peint et qui la représentait en compagnie d'Azenor, sur un fond vert et bleu.

Je reconnus immédiatement la silhouette longiligne de ma mère, son visage mince et ses longs cheveux auburn et bouclés. Elle se tenait bras dessus, bras dessous avec une autre adolescente dont la ressemblance avec Ael s'avérait sidérante : les mêmes cheveux de jais, les mêmes traits parfaits et surtout les mêmes yeux d'améthyste si étranges et envoûtants.

– Comme tu ressembles à ta mère, Ael ! ne pus-je m'empêcher de m'exclamer. Azenor était d'une beauté époustouflante.

– C'est le fameux tableau que ta mère a peint, dit Ael. Je vais éviter de poser la main dessus, je n'ai pas envie d'avoir une vision d'elle... ma mère... C'est encore douloureux pour moi de me souvenir d'elle.

– Bien sûr.

Nous nous installâmes par terre, sur des coussins, au soleil, après avoir ouvert les rideaux orangés et les fenêtres. Un air parfumé, presque printanier, s'engouffra dans la pièce. Il y avait aussi comme une odeur de myrtille et de lilas... Les lieux étaient-ils aussi magiques que les gens de cette terre ?

J'entrepris de réviser les grandes dates de la Révolution française et celles du début de l'époque napoléonienne. Ael, qui avait l'air encore fatigué, s'endormit purement et simplement, couché en chien de fusil. Il respirait doucement, et sa beauté me toucha au cœur, une fois de plus.

Quand j'en eus assez de Robespierre, Danton et de tout ce qui allait avec, je refermai mon livre et m'étirai. J'hésitai à me lever, car je craignais d'éveiller Ael. Dans son sommeil, il crispa soudain la bouche et porta la main à son épaule droite.

Le cœur battant, je me penchai, écartai les mèches qui couvraient son front. Ses yeux fermés étaient entourés de larges cernes bleutés. Le manque de sommeil le marquait à nouveau. Je me penchai un peu plus, vers ses lèvres et je me relevai vivement, intimidée.

Je quittai la pièce sur la pointe des pieds. Je m'habillai plus chaudement et je sortis sur la lande. Adossée à un rocher, j'étais plongée dans mes pensées quand une personne s'arrêta devant moi. Je sursautai, sortis de ma rêverie et je reconnus Deniel.

– Deniel ! ça faisait longtemps ! m'exclamai-je, ravie, en me redressant.

Je réalisai très vite qu'il n'avait pas l'air aussi enthousiaste que moi.

– Merci pour la pierre… le bijou, repris-je un peu refroidie.

– Tu ne la portes pas, remarqua-t-il.

Son regard vert se fit perçant.

– C'est le vicomte, n'est-ce pas ?

– Quoi, le vicomte ?

– Ael ! dit-il agacé. Il s'est passé quelque chose entre vous ? C'est pour ça que tu ne la portes pas ?

Comme je ne répondais pas, il émit un bref ricanement.

– Je m'en doutais, c'est bien pour ça que je ne venais plus à la grotte.

– Deniel…

– Éprouves-tu quelque chose pour lui, oui ou non ?

– Deniel… implorai-je à nouveau.

– Je ne suis qu'un ami, constata-t-il.

– Qu'un ami ?

– Pardon, mais tu avoueras que ce n'est pas la position la plus enviable. J'étais fou d'imaginer…

– Arrête, suppliai-je encore, tu me mets très mal à l'aise.

– Pourquoi ? Tes propres sentiments te gênent-ils ? railla-t-il. Tes sentiments pour Ael, je veux dire.

– S'il te plaît…

– Malgré sa cécité, Ael est beau, continua-t-il, intelligent, riche. Et il a des pouvoirs.

Je sentis les larmes qui me montaient aux yeux. Je n'aimais pas sa méchanceté soudaine. Sa jalousie.

– Vas-tu continuer de me parler ? demandai-je. Ou bien vas-tu me tourner le dos après m'avoir infligé toutes tes charmantes paroles ?

– Continuer à te parler ? Pour que tu aies la possibilité de te rabattre sur moi les jours où Ael te fera la tête ? Merci bien, très peu pour moi.

– Très bien, dis-je. Si tu vois les choses ainsi…

– Mais elles sont ainsi ! Tu n'avoues pas tes sentiments parce qu'avec son caractère et…

– Et ?

– Tu sais désormais qu'Ael est comme ma cousine Lusia ! Pourquoi crois-tu que je t'aie amenée là-bas ? Pour que tu comprennes ! J'espère qu'il ne te fera pas de mal. C'est tout. Les enfants des Dieux sont malfaisants.

– Nous y voilà ! criai-je. Tu es bien comme tous les autres au village ! Tu penses du mal des Lordremons ! Tu penses du mal de la magie ! Mais tous les êtres magiques ne sont pas malfaisants ! Ils sont comme les humains… parfois gentils et sincères, parfois… Mais il y en a qui sont entièrement malfaisants, crois-moi ! Et Ael n'en fait certainement pas partie !

Je fis volte-face, furieuse, et je me mis à courir. J'entendis Deniel qui courait aussi. J'accélérai, mais il me rattrapa et me serra le bras.

– Maria !

– Lâche-moi !

– Pardon pour mes propos, mais j'ai ma fierté. Ne me renvoie surtout pas vers les autres filles du village, ajouta-t-il d'une drôle de voix.

Je me retournai vers lui. Ses boucles auburn me caressèrent les joues. Il apposa doucement ses lèvres sur les miennes, puis me repoussa.

– Ca te plaît, d'avoir deux prétendants ? grogna-t-il.

– C'est toi, qui m'as embrassée, grondai-je.

– Tu ne t'enfuies pas, pourtant, riposta-t-il.

– Ne m'embrasse plus, Deniel. Je te préviens…

La tristesse voila son regard.

– S'il arrivait quoi que ce soit, m'appellerais-tu, Maria ? demanda-t-il dans un soudain revirement.

– Que pourrait-il arriver ?

– Tu verras bien. Tu as choisi, non ?

– Deniel…

– Je me souviens d'une anecdote, qui a eu lieu quelque temps avant l'accident. La fille s'appelait Amélia Varin et elle était en vacances chez ses grands-parents. Elle a aperçu Ael sur la plage. Il n'a jamais répondu à ses sollicitations. Jamais. Il l'a ignorée. Elle était vraiment jolie et avait quatorze ans, un an de plus que lui, mais il ne l'a jamais regardée, alors qu'elle était folle de lui.

Deniel se détourna.

– Va le rejoindre, Maria. Et laisse-moi un message dans la grotte en cas de problème. Peux-tu me le jurer ?

– Je te le jure, dis-je gravement.

Il s'éloigna sans me jeter un regard. Aucune fille n'avait trouvé grâce aux yeux d'Ael… sauf moi. Incroyable. Une fille autre que moi trouverait-elle grâce aux yeux de Deniel ? Resterait-il seul ? Il ne le méritait pas.

Comme je détestais faire souffrir !

Chapitre 19

Ennemis

Le lendemain, Ael me demanda de l'accompagner et de le guider jusque chez Lusia. Il souhaitait glaner des renseignements sur l'ennemi, ainsi que des conseils avisés pour essayer de le localiser. J'aurais voulu reculer cette échéance.

— Lusia elle-même n'y parvient pas, objectai-je. Je pense qu'il faut attendre qu'il se manifeste à nouveau, pour le cerner à ce moment-là. Néanmoins, les conseils de Lusia sont toujours bons à prendre, tempérai-je.

— Et toi ? Est-ce que tu vas bien ? Tu as une drôle de voix… demanda Ael.

— N'essaie pas de lire mes pensées, hein ! criai-je, encore secouée par ma conversation de la veille avec Deniel.

Ael afficha une mine sérieuse et presque peinée.

— Maria, je t'assure que je fais d'énormes efforts pour m'en empêcher, dit-il gravement.

— Allons-y, répondis-je, radoucie, en lui prenant la main.

Ses doigts étaient doux et chauds, comme d'habitude. Nous avions cependant mal choisi notre jour. Comme nous arrivions, Alan et Deniel se présentaient eux aussi devant la masure, les bras chargés. Je me raidis pour affronter le pire…

Alan ricana en nous apercevant, et toisa Ael. Il était plus blond que Deniel, et surtout beaucoup plus grand et costaud qu'Ael.

— Comment j'ai pu me faire battre par toi ? s'écria-t-il à l'adresse d'Ael.

Deniel jeta un regard noir à son frère, qui poursuivit :

— Il n'y a qu'une explication : tu ne m'as pas battu de façon normale. Tu es bien comme Lusia. Tu as eu recours à des… dons.

Lusia ouvrit doucement sa porte.

— Toi, la prévint Alan, reste en dehors de ça ou je repars avec la nourriture que papa m'a demandé de t'apporter.

— Eh bien repars, répliqua ironiquement Lusia.

Ses yeux luisaient, étrécis.

— Pourquoi me détestes-tu, Alan ? attaqua Ael en avançant.

— Ce n'est pas toi que je déteste, c'est ta nature ! Je n'ai pas l'habitude de faire du mal aux infirmes mais...

— Non ! coupai-je, ça suffit !

Alan se retourna, me dévisagea, gêné, puis revint à Ael, dont le visage, marqué par la cicatrice toute légère sur la joue et la contusion au-dessus de l'œil, se crispait de fureur.

— Tu es esquinté, ma parole ? ricana Alan. Qui t'a fait ça, que je lui serre la main ?

Deniel prit son frère par le bras.

— Partons. Je crois aussi que ça suffit.

— Toi, ne me dis pas ce que je dois faire ! cria Alan en se dégageant violemment.

Ael se rapprochait de lui.

— Et votre père ? Vos autres frères ? Que pensent-ils ? Que nous sommes des démons ? cracha-t-il.

— Non, Ael, dis-je. Arrête. Cela ne serait pas équitable, en plus. Tu le battrais une fois de plus.

Une expression horrible de rage et de vexation mêlées se peignit sur le visage d'Alan. Mais avant qu'il ait pu faire quoi que ce soit, il se retrouva à genoux, gémissant, la tête entre les mains.

— Arrête ça ! hurla-t-il.

Je regardai Ael, interloquée. Il paraissait fixer Alan, et ses yeux violets étincelaient. Était-il vraiment en train d'infliger une souffrance mentale à son adversaire ? Ou une vision insupportable ?

Deniel saisit le bras d'Ael, et le secoua.

— Arrête, je t'en prie. C'est mon frère.

Ael se dégagea violemment à son tour. Alan retomba alors sur le sol, en sueur.

— Ael et Maria, entrez, intervint Lusia. Alan, tu ferais mieux de rentrer chez toi. Deniel, s'il te plaît, reste-là, j'ai besoin de toi.

Deniel nous suivit comme à regret tandis qu'Alan se relevait et s'éloignait en jetant des coups d'œil meurtriers du côté d'Ael. Lusia referma sa porte.

— Ael, n'utilise plus ce pouvoir-là, dit-elle.

Deniel observait Ael avec un mélange de crainte et de ressentiment. Lusia entreprit de ranger ce que ses cousins lui avaient apporté. J'accourus pour l'aider.

— Deniel, dit-elle enfin, tu sais que je ne mets jamais les pieds au village. Aussi, j'ai besoin que tu m'apportes quelques renseignements. Nous recherchons une personne, un homme à mon avis, qui a les dons des Dieux et qui se dissimule très habilement. C'est lui qui a tué la mère d'Ael.

— Et qui a bousillé l'église ?

— Certainement.

Deniel la fixa un bref instant avant de hausser les épaules.

— Je n'ai pas tes pouvoirs, cousine. Comment saurais-je qui est cet homme ? Hein ?

— Passe en revue les personnes que tu croises chaque jour, les fréquentations de tes frères.

— Je ne sais pas ! s'impatienta Deniel, l'air mal à l'aise.

— Je pense surtout que tu ne souhaites pas m'aider, accusa Ael.

Deniel s'empourpra aussitôt et se planta devant Ael, prêt, je pense, à le gifler.

— Je vaux mieux que cela, Ael de Lordremons. Quand je dis que je ne sais pas, je suis honnête. Peut-on en dire autant de toi ? Tu te rends compte de ce que tu as fait à mon frère, comme ça, sans prévenir ? Toi, tu es malhonnête.

— Tu essaies plutôt d'insinuer que je suis mauvais, répliqua Ael.

— Tu sais ce que tu es. Maria…

— Ça suffit ! coupa à nouveau Lusia.

— Non, s'écria Ael. Tu voulais dire quoi, à propos de Maria ?

Je m'interposai à mon tour, car je sentais que les aveux qui allaient suivre ne seraient agréables pour personne.

— Je veux que vous arrêtiez immédiatement ! hurlai-je, hors de moi.

— Veux-tu réfléchir à ma question, Deniel ? reprit Lusia en posant une main apaisante sur mon bras et en me faisant reculer tout doucement.

Deniel soupira, tandis qu'Ael se laissait tomber contre le mur et se cachait la tête entre les genoux.

– Réfléchis, Deniel, répéta Lusia. Un homme discret, très discret, mais qui doit aimer la chasse. Son comportement a pu paraître étrange, mais pas obligatoirement.

– Il y a bien cet ami de Gilles... Il chassait déjà le gros gibier avec son père, avant la guerre. Il raffolait de l'exercice et c'était d'ailleurs son seul sujet de conversation. Il a une drôle de façon de vous dévisager par en dessous, sans piper mot, sauf pour parler de chasse. Il aime débusquer ses proies sans chien, et... s'acharner. Je l'ai accompagné, une fois, avec Gilles, et je n'ai pas du tout aimé sa façon de faire. Même mon frère était écœuré. Mais ça ne veut rien dire... ce n'est pas parce qu'on est renfermé et cruel à la chasse qu'on est... enfin, si, peut-être...

– Quel est son nom ? coupa Lusia.

– Joakim le Bannec.

– Nous le surveillerons et nous aviserons, décréta Lusia. Qui d'autre pourrais-tu soupçonner ?

– Personne. Vraiment. Même Joakim.... j'ai du mal à imaginer qu'il puisse avoir de telles capacités.

– Tu veux dire des capacités comme celles de Lusia ou les miennes ? intervint Ael, moqueur. Que me reproches-tu le plus d'ailleurs ? Mes dons ou le fait que je sois avec Maria ?

– Assez, criai-je, excédée.

– Mais pourquoi n'a-t-il pas choisi quelqu'un comme lui ? explosa Deniel. Pourquoi toi, Maria ?

– Parce qu'elle est comme moi ! hurla Ael, déchaîné.

Je regardai Ael. Bien sûr, les Lordremons avaient déjà évoqué ce sujet. Bien sûr, j'étais originaire de la région. Mais je n'avais jamais senti quoi que ce soit en moi. Pourquoi ne pouvais-je faire éclore mes capacités ?

– Tes dons sont enfouis trop profondément pour l'instant, dit Lusia.

Deniel me jeta un coup d'œil bizarre, l'air malheureux. Puis il gagna la porte.

– N'oublie pas, Maria. S'il y a un problème, laisse-moi un mot là où tu sais, dit-il.

La porte se referma. Ael me chercha en tâtonnant de la main. Je lui tendis la mienne, qu'il serra.

– Je suis sûr que tu comprends désormais pourquoi nous sommes liés, murmura-t-il. Si je t'en avais parlé, alors que je me fuyais, peut-être aurais-tu fui aussi… D'ailleurs, qui me dit que là, tout de suite, ce que tu acceptes pour moi est acceptable pour toi ?

– J'aurais tout accepté dès le début, affirmai-je… Comment sais-tu si les gens appartiennent à la race des anciens Dieux ou pas ?

– La sensation est particulière. Une sorte de lumière bleue me le signale, si la personne ne se dissimule pas, bien sûr. Cette lueur bleutée a envahi mon esprit quand tu es entrée dans la salle, le jour de ton arrivée. C'était léger, lointain, car tes pouvoirs sont trop enfouis, comme l'a dit Lusia. Puis la colère m'a submergé, car une étrangère débarquait, une étrangère qui possédait les dons que je refusais.

Si j'étais moi aussi de la race des anciens Dieux, cela expliquait pourquoi je n'avais guère eu d'amies. Les autres gamines avaient dû me fuir d'instinct, comme les Lordremons étaient fuis par les villageois. Tout cela n'avait plus d'importance. Maintenant, j'avais Ael. Nous étions deux. J'étais comme Ael, j'étais avec Ael et cela seul comptait. Sans cesser de me serrer la main, Ael tourna la tête du côté de Lusia.

– Lusia, dit-il de sa voix rauque si étrange, tout d'abord promets-moi de répondre franchement.

– Je dis toujours la vérité. Je t'écoute.

– Y'a-t-il une possibilité pour que mes pouvoirs me guérissent un jour ?

– Peut-être. Peut-être pas. Mais si ton esprit remplace ta vue...

– Peux-tu vérifier, Lusia ?

Elle vint lui prendre les tempes entre ses deux mains, comme la première fois. Ael grimaça : l'examen, rempli des forces mystérieuses de la magie, devait être douloureux.

Lusia lâcha Ael, qui était devenu très pâle.

– Alors ? s'enquit-il.

– Je ne sais toujours pas. Je suis désolée.

– Je dois donc m'estimer heureux de compenser avec mes dons.

Je serrai ses doigts très fort, il sourit, ses lèvres se rapprochèrent des miennes, les effleurèrent. Je frémis.

– Jamais je ne me suis senti aussi vivant qu'en ta compagnie, Maria.

– Je tiens à toi… tant…

– Concentrons-nous sur ce Joakim, il devient notre priorité, ajouta-t-il pour couper court à nos effusions.

Chapitre 20

Joakim

Le jour suivant, je laissai un message à Deniel dans la grotte, lui demandant (le suppliant !) de se rendre (pour une fois !) à la messe le dimanche qui venait et de nous indiquer qui était ce Joakim.

Ael était sûr que l'ennemi se rendait à l'église. Il ne tenait absolument pas à se faire remarquer en se mettant à l'écart de la communauté. Pour nous, c'était aussi un avantage : dans la foule, il était facile de repérer sans se faire repérer. Du moins, je l'espérais.

Ma grande inquiétude concernait Deniel : serait-il là pour nous aider ? Il éprouvait tant de ressentiment à l'égard d'Ael ! Néanmoins, il m'avait signifié qu'il m'aiderait, moi…Et pour moi, sa parole, c'était du sérieux.

Ce dimanche-là, j'accompagnai donc les Lordremons à l'église. Très vite, j'aperçus Deniel, à cause de ses cheveux flamboyants. Il était là ! Il se faufila parmi les gens attroupés et se plaça près d'un jeune homme blond et pâle. Après quoi, il se retourna et me regarda avec insistance. Je hochai la tête pour l'avertir que j'avais compris. Je parvenais à ne pas trembler.

Il avait trouvé Joakim. Ce dernier se tenait près d'un groupe en grande discussion, suffisamment près pour être avec eux, et suffisamment loin pour rester en retrait de la conversation.

Il était de taille moyenne, excessivement mince, il avait les traits réguliers, les yeux clairs. Je lui donnai à peu près l'âge d'Olivier.

– Je le vois, Ael, soufflai-je.

– Il faudrait que je m'approche et que je le touche pour le sonder, car il se dissimule et je ne sens aucune nature magique en ces lieux, répondit Ael, tendu.

– Si tu réussis, cela tiendra du miracle, chuchotai-je. S'il te repère ?

– C'est le risque à prendre, décréta Ael.

J'inspirai profondément, serrai fort sa main et l'entraînai vers ce Joakim. Tout alla ensuite très vite : Ael lui effleura le bras et Deniel, décidément très intuitif, s'interposa, masquant ainsi mon compagnon qui recula avec moi. Nous nous fondîmes dans la masse.

Joakim ne se retourna pas vers nous. Ruse ou ignorance ? Ael me secoua le bras. Ses traits étaient si altérés que je pris peur.

– C'est lui, Maria ! Lui ! Bon sang, l'image de ma mère est omniprésente dans sa tête !

Au moment où il entrait dans l'église, Joakim se tourna vers nous et sourit. Mais son sourire était aussi glacial que ses incroyables yeux délavés. Il me toisa d'abord, puis détailla Ael et l'étirement de ses lèvres s'accentua.

– Il sait, grinçai-je.

– Oui, il essaie de forcer mon esprit, murmura Ael. C'est la première fois que quelqu'un essaie de me faire ça ...

Tranquillement, Joakim se détourna et disparut dans l'église.

– Il est loin d'être un débutant, il est plus fort que moi... constata Ael, très pâle.

– Je ne peux pas entrer, bredouillai-je. Je ne peux pas me trouver au même endroit que lui...

– Pareil pour moi, faisons demi-tour, dit précipitamment Ael.

Sous les yeux éberlués d'Eliaz, Olivier et Yann, nous reculâmes vers la place du village. Bleunvenn et Soaz, elles, étaient entrées juste avant Joakim. Elles ne virent donc rien de notre manœuvre. Je ne voyais plus Deniel non plus.

Nous remontâmes au manoir et attendîmes les autres. Je sentais le désarroi d'Ael. Son mutisme était aussi inquiétant que les vilaines lueurs qui traversaient ses yeux. Il avait dû battre en retraite et il détestait cela…

Il s'assit au piano, mais pas pour jouer. Je me plaçai près de lui et tâchai de l'apaiser en lui caressant le bras. Il ne sourit même pas et soupira longuement.

– Joakim était amoureux d'Azenor. Il savait qu'elle appartenait à l'ancienne race. Quand il a compris qu'elle ne s'intéresserait jamais à lui, il s'est mis à haïr ce qu'elle était… ce qu'il était… et s'est juré de tous nous détruire. Azenor… ma mère, a aimé Eliaz et Olivier, pas lui. Il ne l'a pas supporté… expliqua-t-il… il a suffi que je touche son bras pour que je sache tout cela…

– Ael, va te reposer. Il faut que ces sentiments de haine s'estompent de ton esprit…

Il n'émit aucune objection et alla s'enfermer dans sa chambre. À leur retour, les autres ne posèrent aucune question mais leur regard était lourd de sens ; l'atmosphère fut pesante le reste de la journée.

Le soir de ce même jour, Yann traversa la cuisine où je me trouvais, pour sortir discrètement par derrière. Abritée derrière mon livre, je le suivis des yeux.

– Sois prudent, dis-je.

– Et n'oublie pas de bien fermer la porte, il fait froid, ajouta Soaz, sans lever les yeux de la chaussette qu'elle reprisait.

Yann m'envoya un bref salut de la main avant de disparaître. Je ne pus me replonger dans ma lecture. D'ailleurs, je n'avais pu déchiffrer que dix lignes, depuis que je m'étais perchée sur le banc le plus proche de la cheminée. Malgré le feu, je grelottais.

J'étais angoissée depuis que nous avions découvert Joakim. Qu'allions-nous faire ?

Je savais qu'Ael dormait, terrassé par des maux de tête. Les heures s'écoulèrent sans que je bouge, l'esprit engourdi. Soaz finit par abandonner sa couture pour aller se coucher. La pendule égrenait les heures, monotone.

Je somnolais quand un bruit sourd m'alerta. Cela venait de l'extérieur. Un frisson glacé me parcourut l'échine. Et si c'était Joakim ? Joakim avec son regard trop clair et terrifiant ?

Je me levai cependant, et j'ouvris la porte. Je ne sais pas pourquoi j'eus ce courage. Une rafale me coupa brièvement la respiration. Peu à peu, mes yeux s'habituèrent à l'obscurité.

Quelqu'un était étendu en travers des marches luisantes de pluie. Quand la personne releva la tête, baignée par la lumière venant de la cuisine, je vis qu'il s'agissait de Yann. Ses cheveux mouillés étaient collés sur son front.

— Que s'est-il passé, Yann ? m'exclamai-je.

— Les Allemands ont débarqué ce soir… pas de bol… murmura-t-il avec une très grande difficulté.

— Tu es blessé ? Où ? Je vais chercher Olivier !

— Attends...

Du sang coula à la commissure de ses lèvres.

— Je vais chercher Olivier, répétai-je, les jambes soudain très lourdes.

— Non... pas tout de suite... Ils nous ont traîné dehors pour nous faire monter dans leur camion. Je savais qu'ils nous emmenaient à l'antenne spéciale de Brest. Enor et Paul m'ont poussé sur la route. J'ai pu m'enfuir grâce à eux. Les Allemands m'ont vu, ont tiré... J'ai trébuché... J'ai pu marcher jusqu'ici...

— Tais-toi. Je vais chercher Olivier.

— Avant, je veux finir ce que j'ai à dire... à mi-trajet, je suis tombé sur... l'ennemi...

— D'autres allemands ?

— Non, tu sais bien... l'ennemi magique...

— Joakim...

— Non. Une femme.

— Une femme ? Mais... Je ne comprends pas.

— Elle m'a affirmé qu'elle nous aurait tous. Elle était masquée par sa capuche... Elle a ajouté, de sous son manteau, qu'elle était ce que nous aimions et détestions le plus... Puis elle a disparu, comme ça...

Yann émit un drôle de son, caverneux, et un frisson le parcourut de haut en bas. Son visage cireux était presque méconnaissable. Je vis alors la flaque sombre qui s'échappait de sous son corps et je sentis l'odeur de la mort, froide et métallique.

Alors je parvins à remuer mes pieds, si lourds, et je courus à l'intérieur. La pluie crépitait lorsque nous revînmes, Olivier, Bleunvenn et moi.

– Va voir Ael, Maria, me commanda Olivier d'une voix autoritaire. J'emmène Yann avec ma Renault. Bleunvenn, si les Allemands arrivent…

– Je sais. Vous êtes parti en urgence pour un accouchement. Je ne sais pas où, car je n'ai pas pris l'appel téléphonique, c'est vous.

Je tournai les talons, docile. Je savais qu'il voulait me protéger, éviter que je sois là s'il était surpris en train d'aider un résistant… fût-il son neveu.

Lorsque j'ouvris sa porte, Ael se redressa dans son lit. En pleurs, je lui dis tout.

– Je ne comprends plus rien, murmura Ael. Une femme ? Je suis sûr que Joakim est l'ennemi. Je l'ai lu en lui ! martela-t-il en secouant la tête.

– Je n'ai même pas la force de réfléchir, dis-je. Je pense trop à la blessure de Yann. Elle me paraît très grave. Et si… Non, je ne veux pas y penser !

– Mon cousin s'en sortira, Maria. Il appartient à la race des anciens Dieux. C'est un enfant des Dieux, comme nous, assura Ael. Et mon père est auprès de lui.

– Je sais mais…

– Chut… Maria… chut…

Il écarta sa courtepointe, tendit sa main. Sa beauté m'apaisa.

— Dormons dans les bras l'un de l'autre, proposa-t-il. Pour nous rassurer…

Alors mon cœur cogna, reléguant dans une autre partie de mon cerveau la douleur liée à l'inquiétude. Je me glissai contre lui après avoir ôté mes chaussures. Je posai ma tête contre son cœur, qui battait aussi violemment que le mien.

Ce que j'éprouvais en cet instant était indescriptible. Je m'enivrai de son odeur de fleurs séchées, de ses bras qui m'entouraient, de tout son être qui me protégeait, et je m'endormis.

Plus tard dans la nuit, des claquements de porte et un bruit de moteur qui tournait en continu me tirèrent de mon sommeil. Je me rappelai où je me trouvais. Ael me serra fort.

— Les Allemands fouillent le manoir, dit-il.

Je voulus m'extirper du lit mais il me retint.

— Je veux juste voir, dis-je.

Il me lâcha comme à regret, je quittai ses bras, et je soulevai un pan des rideaux : en bas, sur le perron, Bleunvenn s'entretenait avec Weiss et d'autres allemands, que je ne connaissais pas.

Frissonnante, je rejoignis Ael, qui m'entoura à nouveau très fort de ses deux bras.

Il y eut des claquements de portières, le bruit du moteur s'éloigna et le silence revint. Les Allemands n'étaient même pas venus fouiller à l'étage. Bleunvenn avait dû se montrer persuasive.

Un peu rassurée, je me rendormis, le visage dans les cheveux d'Ael.

Chapitre 21

À Brest

Le soir tombait. Nous avions subi deux bombardements, les Alliés se faisaient pressants. J'attendais avec Ael qu'Olivier et Conrad Weiss ressortent de l'édifice à la façade criblée. Ils recherchaient ce qu'il était advenu des compagnons de Yann. L'aide de Weiss était précieuse et nécessaire, il savait à qui s'adresser et souhaitait nous aider.

Depuis cette fameuse nuit durant laquelle d'autres officiers avaient fouillé le manoir, il se rangeait de notre côté. Les étages n'avaient pas été fouillés parce qu'il avait refusé qu'ils le soient. Il avait bien compris que Yann ne s'était caché nulle part ; Olivier étant absent, il était forcément parti avec Yann, ailleurs.

De cette nuit-là, je me souvenais avoir enfoui mon visage dans le cou d'Ael, sous les couvertures, tandis que les Allemands déambulaient, au-dessous. Le nid de ses bras fut l'antidote le plus efficace contre la peur. Ses bras, ses baisers, sans que jamais il n'ose aller plus loin, alors que je n'aurais pas dit non.

Je revins à la réalité. De temps à autre, des Brestois fatigués levaient les yeux vers nous. Trois jeunes gens nous dévisagèrent longuement. Je les dévisageai à mon tour et je crus déceler de la peur dans leurs yeux. J'eus comme jamais le sentiment aigu de ne pas être comme eux.

Au bout de la rue apparut une jeune fille qui tenait une serviette de cuir usagée. Quand elle arriva au niveau d'Ael, elle lui sourit, certainement subjuguée par sa beauté, et sans savoir, bien sûr, qu'il était aveugle. Elle disparut au coin de la rue, déçue par son absence de réaction. Olivier et Conrad Weiss sortirent du bâtiment, l'air abattu.

– Ils étaient encore à la caserne hier soir, expliqua Olivier d'une voix lasse.

– Je n'ai rien pu faire, compléta Weiss. Ils sont déjà partis pour l'Allemagne. C'est… fini.

Ael se détourna, les poings serrés. Il avait insisté très fort auprès de son père pour venir à Brest malgré les dangers liés aux bombardements. La dernière chose que nous aurions pu faire échouait. La dernière chose que nous aurions pu faire en souvenir de Yann.

– Avec le couvre-feu, nous ne pouvons pas repartir ce soir, dit Olivier. Nous reprendrons la voiture au plus tôt demain matin.

Je revoyais le cercueil. La cérémonie avait été discrète. Ni Ael ni moi n'avions pu dire adieu à Yann… Nous allâmes manger dans un restaurant un peu reculé. Weiss avait enfilé une tenue civile, pour ne pas attirer sur nous l'animosité des Brestois qui souffraient quotidiennement des bombardements et ce depuis le début de la guerre.

Ael se leva de table très vite. Il éprouvait le besoin de respirer de l'air frais et je l'accompagnai. Depuis la disparition de Yann, il avait en permanence de larges cernes bleutés et il parlait peu. Mais il était toujours tendre avec moi. Il appuya sa main sur le mur fissuré du restaurant afin de remonter une de ses chaussettes et tressaillit.

– Ael?

– Une jeune fille a été agressée ici… il n'y a pas longtemps… Celui qui a fait ça a profité d'une alerte. Il a attendu que les gens se précipitent vers les abris… Elle est serveuse dans ce restaurant.

– Mais elle ne travaille pas ce soir, complétai-je. Je n'ai vu aucune serveuse.

Olivier et Weiss sortirent à leur tour.

– Le propriétaire du restaurant nous a conseillé l'hôtel d'en face, annonça Olivier.

En pénétrant dans le hall, Ael tressaillit encore, je vis le mouvement de ses doigts vers les miens.

– Elle loge ici… sous les toits, me chuchota-t-il.

Le bois du comptoir avait besoin d'un bon coup de vernis, le carrelage était fendu en bon nombre d'endroits, mais les chambres qu'on nous attribua étaient très propres. Olivier prit la première pour lui et Weiss et me donna la clé de la deuxième, celle qui était la plus proche des escaliers.

– Il faut parler à cette fille, décréta Ael une fois notre porte refermée.

– Pourquoi ? demandai-je en m'asseyant sur le lit de droite. L'agression a déjà eu lieu, hélas, nous ne pouvons plus l'empêcher, et quelques paroles de réconfort n'aideront pas cette fille à aller mieux.

Ael se laissa tomber sur l'autre lit.

– Je veux essayer de faire pour elle ce que je n'ai pas pu faire pour Yann.

– Et qu'aurais-tu pu faire pour Yann ? m'exclamai-je, la voix tremblante. Même ton père, qui est médecin…

Je n'eus pas la force de poursuivre.

– Je veux y aller, c'est tout, coupa-t-il.

Je soupirai mais n'ajoutai rien, il paraissait beaucoup trop déterminé. Nous attendîmes une heure, le temps que Weiss et Olivier éteignent leur lumière, puis nous montâmes le plus discrètement possible jusqu'à la petite chambre sous les toits.

Je frappai et une fille blonde ouvrit. Elle avait les yeux noisette, un visage pointu mais joli, et était très mince. Elle semblait plus étonnée qu'effrayée.

– Que voulez-vous ? Qui êtes-vous ?

– Je veux vous parler et faire en sorte qu'il ne vous embête plus, dit Ael.

– Quoi ?

Ses yeux s'agrandirent sous l'effet de la surprise. Elle parut réfléchir, regarda du côté des escaliers et nous fit signe d'entrer. Je pense qu'elle voulait avant tout qu'aucune oreille indiscrète n'apprenne quoi que ce soit. Sous un abat-jour rose, une petite lampe diffusait une lumière faiblarde, qui tombait sur un lit en fer, une petite armoire en chêne et une chaise appuyée contre le mur au papier fleuri et défraîchi.

– Comment savez-vous ? murmura-t-elle enfin d'une voix peu assurée.

– Quel est votre prénom ? demanda Ael en ignorant sa question.

– Lénaïg. Répondez-moi, s'il-vous-plaît… Il l'a raconté ? Il s'est vanté ? Oh mon Dieu…

– Non, dit fermement Ael. Nous ne connaissons personne à Brest, nous sommes de passage.

– Alors je ne comprends pas.

– J'ai… certaines facultés.

– Quoi ? fit-elle, désarçonnée.

– J'ai eu une vision en touchant le mur, près de l'endroit où ça s'est passé.

Elle secoua la tête, incrédule, l'air perdu.

– Je voudrais vous aider, dit Ael.

– Que pourriez-vous faire ? Qui vous croirait ? Me croirait ? Les gens ont d'autres soucis, avec les bombardements, les restrictions, le simple fait de rester en vie. Si vous voulez m'aider, n'en parlez jamais. Jamais, entendez-vous ?

Elle releva la tête et regarda fixement Ael.

– Et pourquoi voulez-vous m'aider ? ajouta-t-elle. Beau comme vous êtes, avec vos vêtements bien coupés, vous appartenez à un autre monde. Pourquoi vous soucier de mes malheurs ?

– Parce que je sais ce qu'est le malheur. Je crois.

– Ah oui ?

– Oui. Je suis aveugle. Je ne vois plus.

La jeune fille considéra longuement le visage d'Ael, puis elle leva la main, l'agita devant les yeux de mon compagnon, qui ne cillèrent pas.

– Cela ne se voit pas, murmura-t-elle.

– Non. Pour vous aussi, ça ne se voit pas.

Lénaïg fut secouée par un long sanglot.

– Comment vous appelez-vous ? demanda-t-elle.

– Ael. Et voici Maria.

– Ael… l'ange…

– Oh, je n'en suis pas un. J'ai un trop mauvais caractère. Demandez à Maria… Où trouver votre agresseur, Lénaïg ?

– Que comptez-vous faire ?

— Je vous l'ai dit. Je ne veux plus qu'il vous embête, dit Ael.

Lénaïg nous donna le nom, l'adresse, ce n'était pas loin et facile à trouver. Il avait dix-neuf ans, un an de plus qu'elle, il avait travaillé dans le même restaurant et lui avait avoué être amoureux d'elle. Et puis, comme elle avait refusé de céder à ses avances, il avait décidé de se passer de son accord.

Cinq minutes plus tard, nous étions, Ael et moi, dans la rue adjacente. Je n'en menais pas large. Brest était une base navale allemande, il y avait des militaires partout. Le danger était partout.

Nous n'attendîmes pas longtemps. Au fond, à notre droite, un des pans d'une lourde porte de bois bleu écaillé s'ouvrit. Des bribes de conversation, des rires étouffés nous parvinrent. Un jeune homme sortit, les mains dans les poches. Ael lâcha mon épaule.

— Vous êtes Aodren ? interrogea-t-il.

— Oui. Mais ce n'était pas la peine d'attendre. Nous n'avons plus rien. Même pas de la gnôle. Il faudra revenir dans deux mois, grogna l'autre.

— Je ne viens pas faire du marché noir.

— Je me disais aussi que tu paraissais un peu jeune. Alors, qu'est-ce que tu veux ?

Il se pencha pour essayer de distinguer les traits d'Ael, mais ce dernier recula d'instinct sous le porche.

– Lénaïg, lâcha-t-il.

– Quoi, Lénaïg ? Tu es qui, pour elle ? Son frère ? Son cousin ? Ne te mêle pas de ça, tu n'es qu'un gamin. C'était juste l'affaire d'une nuit.

– L'affaire d'une nuit, répéta Ael. Quelle honte.

Au même instant, Aodren se mit à gémir, en se tenant la tête à deux mains, et tomba lourdement à genoux sur le pavé, devant Ael.

– Je veux que tu laisses Lénaïg tranquille. Dis oui. Promets.

– Mais je m'en fiche, de cette fille, j'ai eu ce que je voulais...

– Promets.

– D'accord. D'accord. Je promets.

Puis il s'effondra et ne bougea plus.

– Il va se reposer jusqu'à demain matin, dit Ael. C'est un endroit agréable pour dormir, non ? Frais, aéré... Tu ne trouves pas, Maria ?

– Lusia ne veut pas que tu utilises ce pouvoir, dis-je d'un ton de reproche.

– Mais j'y suis allé doucement. Je n'ai pas tué ce garçon, j'en serais incapable. Maria, je ne suis pas aussi mauvais que le pense Deniel.

– Bien sûr que tu n'es pas mauvais ! m'écriai-je.

Je lui serrai la main, très fort.

– Même si tu as mauvais caractère, complétai-je en souriant pour moi-même, rassurée.

Il eut un petit rire et porta mes doigts à ses lèvres chaudes. Force était de constater que ses dons se développaient et qu'il avait l'air de les maîtriser. J'avais donc eu raison de lui faire confiance. J'avais confiance.

Chapitre 22

Première bataille

Le soleil gagnait en puissance et les parfums de la nature transperçaient la gangue qui les avait rendus presque inodores. L'hiver s'éloignait.

Deniel surveillait Joakim, puis venait à la grotte me raconter fidèlement ce qu'il avait vu : les activités des villageois, celles de Joakim, paraissaient des plus normales. Deniel évitait par contre de parler d'Ael.

Ce dernier, fidèle à lui-même, restait le plus souvent silencieux. Sur son beau visage, les cicatrices s'estompaient. Il n'en restait finalement que les marques intérieures. Au piano, ses interprétations étaient absolument divines. Sous ses doigts fins et agiles, les morceaux possédaient toujours une âme quasi palpable, et ses yeux violets reflétaient alors toute la richesse de son monde spirituel.

Mais le sofa vieux rose restait vide, Yann n'était plus là pour écouter son cousin ou laisser traîner ses livres un peu partout. Olivier, trop souvent absent, se montrait distant, rêveur, quoique toujours aussi gentil. Il nous parlait peu, mais toujours avec chaleur. Il n'évoquait jamais les pouvoirs de son fils ou l'ennemi. Je ne parvenais pas à trouver une explication logique à son attitude.

Nous n'allions plus chez Lusia, Ael et moi, car sa porte était désormais constamment fermée à clé. Deniel m'avait dit de ne pas m'inquiéter : il l'avait vue cueillir des herbes dans les bois. Elle allait bien, concentrée sur la préparation de remèdes et autres onguents dont elle avait le secret. Et puis, c'était une solitaire.

Un après-midi, là-haut, sur la lande et sous une pluie battante, Ael me fit écouter les notes émises par les gouttes sur les rochers. Pour le musicien qu'il était, c'était fascinant. Et moi, avec lui, j'apprenais à entendre différemment les éléments de la nature. Par un soir tout doré par le soleil couchant, il m'emmena dans le bois derrière le manoir et se pencha vers les buissons, tout doucement.

— Il y a toujours eu des lucioles dans ce coin, à la belle saison. Les vois-tu ?

Je me penchai à mon tour et écartai la végétation. Les lucioles apparurent. C'était un spectacle merveilleux, qui me laissa bouche bée.

— Oui, je les vois, dis-je.

– Ce sont des fées, murmura Ael.

Je l'aurais juré, moi aussi.

– Être un enfant des Dieux, est-ce posséder du sang féerique? demandai-je.

– Beaucoup de choses sont encore mystérieuses pour moi, avoua-t-il.

Son expression rêveuse se modifia. Ses traits se durcirent. Je fronçai les sourcils.

– Il faut apprécier le temps que nous passons ensemble, ajouta-t-il d'une drôle de voix, encore plus rauque qu'à l'accoutumée.

– Tu m'inquiètes, Ael, murmurai-je en me redressant et en le fixant.

Il baissa la tête.

– Ce soir, demanda-t-il, pourrais-tu rester avec moi? J'ai décidé d'agir.

– Qu'as-tu en tête?

– Je veux entrer dans l'esprit de Joakim afin qu'il me mène à la femme. Je suis sûr qu'ils sont liés.

– Tu as raison, soupirai-je. Tout a assez duré.

Une heure plus tard, j'accompagnai Ael dans sa chambre. Il s'allongea sur son lit, je m'assis à son chevet et je m'emparai de sa main. Il ferma les yeux et tomba dans une profonde prostration.

La porte de la chambre se ferma à clé, toute seule. Je sursautai violemment. Puis je respirai très fort. La nuit parut soudain plus noire. Plus un bruit. Du plomb glacé. Je frissonnai.

Il s'écoula encore une heure. J'avais vidé mon esprit. Je n'entendais que le bruit de ma propre respiration : un couvercle semblait être tombé sur le manoir. Soudain, n'y tenant plus, j'appuyai sur l'interrupteur. Ael rouvrit les yeux, ses yeux violets qui ne voyaient pourtant pas cette lumière.

— Il arrive… murmura-t-il. Joakim est dans le parc.

Mon cœur se mit à battre de façon désordonnée mais je ne dis rien de ma peur. Nous redescendîmes doucement. Au-dehors, tout semblait blanchi par la lune : l'herbe haute, le tronc des arbres, le toit du manoir. Un homme mince s'approcha lentement.

— Bonsoir, Ael. Bonsoir, Maria, dit une voix onctueuse.

L'homme se rapprocha encore et je reconnus les yeux froids de Joakim. Il souriait. Un sourire carnassier de prédateur.

— Tu as tué ma mère, accusa Ael.

— Elle aurait bu le calice du soupçon en hurlant, répondit l'autre, de sa voix charmeuse, lente, douce, séduisante.

— Le calice du soupçon ? repris-je, frissonnante.

— De l'eau soufrée, de la poussière et de l'huile de lampe, expliqua patiemment Joakim. On faisait boire ce mélange aux femmes que l'on soupçonnait d'être infidèles. Si elles parvenaient à boire sans crier, elles étaient innocentées.

– Il n'a pas dû y en avoir beaucoup, des innocentes, répliquai-je avec dédain. Le diable lui-même se serait brûlé.

– Sa mère plus encore, accusa Joakim.

– Tu lui reproches d'être infidèle parce qu'elle ne s'est pas intéressée à toi, riposta Ael.

– Et tu penses me vexer, mon petit orphelin ?

D'un revers de la main, Ael balaya un pan du mur du parc, qui se pulvérisa littéralement. Ça, c'était nouveau ! J'ignorais qu'Ael possédait cette capacité-là. Il paraissait furieux.

Lorsque la poussière retomba, il y avait, au-delà du trou, un petit pommier décapité.

– C'est quand même moins spectaculaire que mon trou dans le mur de l'église, dit Joakim, tranquillement. Mais mon chef-d'œuvre reste tout de même la superbe façon dont la voiture de ta mère est tombée de la falaise.

Ael émit un son étranglé. Joakim sortit des pans de son ample manteau un poignard qui luisait sous la lune. Il le fit sauter d'une main à l'autre.

– Je vais te clouer sur ce qui reste du mur, comme les chouettes sur les portes, autrefois, déclara Joakim. Puis je m'occuperai de ton amie.

Je ne vis pas l'arme s'envoler. Ael leva la main droite et le couteau se ficha dans la terre. Tout allait très vite. Joakim rit. Il se jeta sur la lame, l'arrachant du sol. Il y eut un éclair aveuglant. Le poignard pivota au moment où il atteignait la gorge d'Ael. Ce dernier sourit, serra l'arme et allait la renvoyer...

— C'est pour moi ! cria une voix féminine.

Bleunvenn avait saisi le poignard. D'où sortait-elle, bon sang ? Que faisait-elle là ?

— Joakim, je crois que tu es soumis à l'amour que tu me portes ! continua-t-elle.

La voix était grave, mélodieuse... et ce n'était pas celle de Bleunvenn. Le poignard bien en main, elle bondit et le ficha dans la gorge de Joakim, qui émit un drôle de bruit, entre le hoquet et la déglutition.

— Comment a-t-il osé vouloir me contrôler ? dit-elle.

— Ta voix... frémit Ael.

— Ah, enfin, tu me reconnais, mon ange ! Suis-moi, Ael ! Mon bel ange, suis ta maman !

Je sentis mon corps se glacer entièrement. C'était un cauchemar.

— Où ? bredouilla Ael.

— Chez Eliaz. Ton amie te guidera. Oh, tes pauvres yeux, mon ange, mon bel ange... comme j'en ai pleuré...

— Non ! dis-je en retenant Ael. Nous n'irons nulle part !

Elle sauta sur le mur avec une adresse ahurissante. Ses cheveux blonds voltigeaient et ses yeux brillaient un peu trop. Elle disparut.

— Il faut retourner au manoir, décréta Ael.

— Quelle idée as-tu derrière la tête ?

Ael ne répondit pas. Nous courûmes et grimpâmes les escaliers à toute allure, traversâmes le couloir du deuxième étage. Ael fonça sur une étagère vitrée, qui vibra sous le choc.

– Recule ! me commanda-t-il.

Il chercha à tâtons, s'empara d'un petit globe terrestre sur un guéridon et le balança contre la vitre qui se brisa. Puis il caressa du plat de la main plusieurs épées de famille, avant d'en choisir une. Le rêve me revint : l'épée, le sang…

– Ael ! Pas avec ça !

– Préfères-tu que j'emprunte un pistolet à Weiss ?

– Le rêve… bredouillai-je.

– Mais nous n'avons pas grand-chose d'autre, à part les couteaux de cuisine et les ciseaux de Soaz…

– Tu peux juste utiliser tes dons, objectai-je.

– Ça ne suffira pas, je le sais. Tu sais comme moi que ce n'était pas Bleunvenn… Un esprit investi des pouvoirs des anciens Dieux s'est emparé d'elle. Un esprit réveillé par Joakim. Et cet esprit est celui de ma mère. Elle vient de tuer Joakim.

– D'accord. On y va.

Tandis que nous redescendions et que je lorgnais l'épée dans sa main, je ne pus m'empêcher de demander :

– Comment se fait-il qu'Olivier n'accoure pas, avec tout le bruit que nous faisons ?

— Disons que... Soaz lui a apporté une tisane dans son bureau, à ma demande.

— Une tisane de Lusia ?

— Oui. Il le fallait, puisque j'avais décidé d'agir cette nuit. Je sens que je ne dois pas le mêler à ça. Les Dieux me l'ont dit.

Tandis que nous nous hâtions vers le village, la pluie battait la terre du chemin et nos épaules. Nous nous dirigeâmes droit sur l'église, passâmes sous les tréteaux, là où le mur avait été éventré.

Ael poussa du pied les matériaux apportés par les ouvriers et avança ; je marchai sur ses talons. Bleunvenn était assise sur l'autel et chantonnait. À sa gauche, Eliaz la regardait d'un œil torve. Il pâlit atrocement quand il vit l'épée que tenait Ael.

— Ael ! Ce n'est pas Bleunvenn ! Fais attention, elle est dangereuse.

— Je sais tout ça, répliqua Ael.

L'esprit gloussa. Jamais la vraie Bleunvenn n'aurait gloussé ainsi.

— Tais-toi, Azenor, gronda Eliaz en se tournant vers la jeune femme. Et toi, Ael, va-t-en.

Bleunvenn (Azenor ?) leva la main et une zébrure rouge apparut sur la chemise d'Ael, qui se crispa et serra plus fermement son arme.

— Tu vas rester là, mon ange. Montre-moi tes pouvoirs, susurra-t-elle.

— Ce que nous aimons et détestons le plus, citai-je.

— Oui, renchérit Ael, ces paroles te désignaient, toi… maman…

Azenor sauta sur les dalles et arracha l'épée des mains d'Ael, juste en levant une main. Elle attrapa l'arme, la tint bien à l'horizontale, et se tourna vers moi. Je vis un éclair, rien d'autre. Eliaz s'interposa et reçut le coup. Elle s'apprêta à frapper à nouveau, leva le bras…

Ael en profita. Azenor hurla. Le corps de Bleunvenn s'effondra sur les dalles, puis demeura inerte. Je réalisai que j'étais pleine de sang, du sang d'Eliaz. Je contemplai tout ce rouge et comme dans le rêve d'Ael, je criai, pleurai. Eliaz, debout, posa une main sur mon épaule. Il paraissait souffrir, mais ne faiblissait pas.

— Ça va aller, Maria, me dit-il d'un ton apaisant. Calme-toi. Mon pouvoir me permet de perdre beaucoup de sang sans en mourir… C'est un don féerique… C'est pour cela que les fées accordent des dons en donnant de leur sang pour les rendre plus puissants. Elles peuvent se le permettre.

— Vous… vous saignez et c'est tout ?

— Non, je souffre, aussi. Va voir Lusia. Emmène Ael avec toi pour qu'elle le soigne.

— Je n'ai rien pu faire, constata amèrement Ael. Rien ! Pourtant, les Dieux m'ont suggéré d'emporter une épée… je croyais…

— Tu lui as porté un sérieux coup mentalement, répliqua Eliaz, parce qu'elle était justement trop concentrée sur cette épée.

Il grimaça, tout en se tenant le ventre.

— Azenor va vous accorder un peu de répit, ajouta-t-il. Profitez-en pour élaborer une stratégie avec Lusia. Moi, j'emmènerai Bleunvenn au manoir pour qu'Olivier l'examine, une fois que ma blessure aura cessé de couler.

Ael ne bougeait pas. Il semblait réaliser quelque chose.

— Père… si tes blessures se régénèrent, tu ne risquais donc rien, le soir où je suis venu t'avertir que l'église allait être prise pour cible…

— Tu ne le savais pas. Je ne saurai jamais assez te remercier de ton geste… tu as été blessé, comme aujourd'hui… comme… Quand tout cela finira-t-il ?

J'entraînai Ael, encore sous le choc, manifestement, de la découverte des dons d'Eliaz.

Chapitre 23

Préparatifs

J'étais décidée à frapper, encore et encore, jusqu'à ce que Lusia ouvre sa fichue porte. C'est ce qu'elle fit enfin, mais elle nous barra le passage, l'air déterminé et sévère. Comme Ael, derrière moi, ne pipait mot, j'entrepris de raconter tout ce qui s'était passé. Alors elle soupira et s'effaça pour nous laisser entrer.

Soudain, mon cerveau refusa de croire ce que mes yeux voyaient. Yann était assis près de la cheminée, certes pâle et amaigri, mais c'était bien lui ! Ael sentit aussitôt la présence de son cousin, car il se décomposa. Je crus que cette seconde révélation allait l'achever, mais il parut se reprendre.

— Tu comptais nous cacher ça combien de temps ? grinça-t-il en reculant.

— Olivier ne m'a jamais emmené à l'hôpital, expliqua Yann, gêné. C'eût été trop dangereux. Les médecins sont obligés de signaler aux Allemands toute blessure par balle, vous le savez. Il m'a conduit directement ici, puis Eliaz a organisé tout un simulacre d'enterrement. Des amis maquisards m'ont fourni un faux certificat de décès. Je suis donc mort... jusqu'à la fin de la guerre. Qu'elle finisse vite...

— Et qu'est-ce qui t'empêchait de m'en parler ? demanda Ael, buté.

— Je me suis juré de te protéger, tu te souviens ? On n'avoue pas ce que l'on ne sait pas. Ce secret, c'était pour le cas où on t'interrogerait.

— Nous sommes quand même plongés dans les ennuis jusqu'au cou, répliquai-je. Azenor...

— Il faut l'éliminer, décréta Lusia. L'esprit d'Azenor est détruit.

— Oui, ricana Ael, seule une partie d'elle vit, et ce n'est pas la meilleure.

— Ael, il faut d'abord soigner ta blessure, dit Lusia.

Elle disparut dans la cuisine et revint avec une bassine remplie d'eau et d'herbes. Ael ôta sa chemise : l'estafilade, très longue, saignait encore un peu sur sa peau blanche, au-dessus de la poitrine. Il resta docile tout le temps que Lusia tamponna la blessure, puis elle passa sa pommade rougeâtre. Il grimaça quand elle lui entoura les flancs avec une bande sèche, provenant d'un vieux drap, sûrement.

— Les herbes servent à désinfecter, expliqua-t-elle. Quant à l'onguent, tu le connais.

— Depuis le temps, je te fais confiance, répliqua Ael.

J'allais lui tendre sa chemise quand Yann s'interposa.

— Donne-lui une des miennes, Lusia, la sienne est déchirée et elle est pleine de sang.

Ael prit la chemise de Yann des mains de Lusia et l'enfila sans un mot. Il était toujours fâché, ses yeux violets flamboyaient. Je le rejoignis et je serrai sa main. Il m'adressa un bref sourire.

— Maintenant, écoutez-moi, dit Lusia. Je suis sûre d'une chose : Joakim a utilisé ses pouvoirs pour empêcher l'esprit d'Azenor de partir. Il a fallu un sceau, un bijou ou tout autre objet pour emprisonner son âme ici-bas. Et cet objet ne peut se trouver que sur Azenor elle-même. Elle le porte depuis le jour de son enterrement. Joakim a dû le placer discrètement, puis attendre le moment propice pour la rappeler.

— Et ce moment était celui de l'éveil de mes propres capacités, compléta Ael.

Lusia se racla la gorge.

— Il faut aller au cimetière, trouver et détruire cet objet, dit- elle.

— Quoi ? fis-je.

— Il n'y a pas d'autre solution, trancha-t-elle. Maria, tu devras tracer un pentacle, Ael déposera l'objet en son centre et le détruira.

Lusia prit un vieux carnet à la couverture de cuir sur son buffet, arracha un feuillet et y traça une forme étoilée.

– Regarde, Maria, voilà à quoi ressemble un pentacle. Attention, il ne sera efficace que quatre heures après le lever du soleil.

J'enregistrai mentalement le dessin. Lusia disparut à nouveau, dans son cellier cette fois-ci et revint avec un bout de bois et un pot en grès.

– C'est du frêne, m'expliqua-t-elle en me tendant la branche. Elle a été coupée à la pleine lune ; tu devras tracer le pentacle avec.

– Et une fois l'objet posé au centre du pentacle ?

– Deux choses qui devront se faire simultanément. À la quatrième heure du jour, toi, Maria, tu verseras cette potion sur le corps d'Azenor. Toi, Ael, tu briseras l'objet. Tout sera alors fini.

– Qu'y-a-t-il dans ce pot ? m'enquis-je.

– C'est un mélange d'eau consacrée, de fleur de farine, de vin, de gui, d'ortie et de poudre d'ambre. Le tout recueilli à des moments précis.

Lusia mit la main dans sa poche et en sortit un petit couteau.

– Prends ce couteau, Ael. Il a été consacré, lui aussi. Tu y concentreras ton énergie avant de détruire l'objet.

Ael avança la main, tâta avant de se saisir de la petite lame toute banale.

– Pourquoi ne venez-vous pas pour nous aider ? demandai-je à Lusia.

– Ce qu'Ael aime et déteste le plus ne peut être détruit que par lui-même. Et seule la personne la plus liée à son esprit peut l'aider. Toi, en l'occurrence. Moi, je serais nuisible. Allez-y, l'aube ne va pas tarder, acheva-t-elle.

Ael marmonna quelque chose et sortit. Je le suivis, dans un drôle d'état. J'éprouvais une faiblesse immense dans les jambes. Néanmoins, je pris la main d'Ael et l'entraînai.

Un jour froid et bleuté se levait. Lorsque nous parvînmes au cimetière, Ael fit sauter la serrure de la porte sans y toucher. Puis, je cherchai la tombe d'Azenor en suivant ses indications. Nos pas crissaient sur le sol sablonneux. Enfin, elle se dressa, près d'un petit arbre sombre et sans feuille. Je m'écroulai à proximité, privée de toute force physique. Je ne pouvais croire à ce que nous nous apprêtions à faire.

Ael, resté debout, parut fixer la dalle. Elle bougea et je trouvai des plus désagréables le gémissement de la pierre. J'avançai sur les genoux et regardai dans le trou.

– Oh, mon Dieu, gémis-je.

– J'ouvre le cercueil, prévint Ael.

Je me renversai vivement en arrière. Le craquement du bois verni était encore plus horrible que le bruit de la pierre. Surtout que le couvercle bougeait tout seul, sous l'influence d'Ael. À ce rythme-là, il allait vite épuiser toute son énergie magique.

— Et si quelqu'un vient ? objectai-je. Le gardien, par exemple ?

— J'ai bloqué la porte derrière nous.

— Oh ! Je suppose que nous ne pouvons plus reculer...

Je me forçai à regarder. Mon Dieu ! La forme posée sur le satin était encore celle d'une femme parfaitement conservée. La peau recouvrait une ossature très fine, et les cheveux noirs, brillants, intacts, entouraient un visage encore identifiable. Les mains reposaient dans la position habituelle, sur la soie violette de la robe. Une curieuse odeur flottait dans l'air. Comme un parfum subtil de fleur d'oranger. Il semblait émaner du corps.

— J'ai l'impression qu'elle va se lever, murmurai-je.

— Heureusement que je ne vois pas, ironisa Ael.

— Ael ! Là, sur la poitrine, c'est l'objet, j'en suis sûre ! m'écriai-je.

Je lui décrivis un gros médaillon en argent serti de pierres vertes, représentant la silhouette d'une femme en tunique, qui foulait aux pieds des serpents entrelacés. Ael sembla fixer le bijou, qui s'arracha du cou de la défunte pour venir se poser sur sa paume droite ouverte. Il le palpa dans tous les sens.

— Repose ce bijou à sa place, Ael, demanda une voix douce et familière.

Olivier venait d'arriver, accompagné d'Eliaz.

Chapitre 24

Seconde bataille

— Qu'est-ce qui te prend, Olivier ? s'étonna Eliaz. Il faut le détruire.

— Non. Je ne veux pas la perdre à nouveau. Je ne veux pas qu'elle soit définitivement morte. Vous n'allez rien faire, les enfants.

— Ils vont le faire, affirma Eliaz, le regard dur. Lusia l'a demandé, tu l'as entendue comme moi, nous venons de la quitter.

— Commence le pentacle, Maria, ordonna Ael.

Olivier retira ses mains des poches de son pantalon. Ses yeux s'étaient assombris.

— Non, riposta-t-il tranquillement.

Il claqua des doigts, et par ce simple geste, arracha le médaillon des mains de son fils. Il se servait de ses pouvoirs devant moi pour la première fois. Ael gronda. Il faisait de plus en plus jour.

Cachée par Eliaz, j'achevai mon pentacle dans la précipitation. Je ne pensais plus, je n'étais qu'action.

– Tu n'es plus toi-même, Olivier, dit Eliaz. Reprends-toi.

– Je l'aime.

– Moi aussi, dit Eliaz. Mais je sais qu'il faut pourtant la détruire.

Ael leva la main et parvint à reprendre le médaillon, qui s'arracha de la paume d'Olivier. Il le serra.

– Attrape, Maria ! s'écria-t-il en le lançant vers moi.

Je le saisis au vol et le laissai tomber au centre du pentacle. Mon autre main n'avait jamais lâché le pot en grès. Ael se plaça entre Olivier et moi ; ses yeux violets reflétaient sa colère. Le calme d'Olivier avait quelque chose d'inquiétant, en comparaison.

– Olivier, pour la dernière fois, gronda Eliaz.

– Tu veux me la prendre.

– Non, et tu le sais ! Si je le voulais, je ne te l'aurais jamais laissée la première fois ! Je t'en prie.

Les yeux saphir d'Olivier, luisants, fouillèrent et cherchèrent, se posèrent sur le pentacle. Je me replaçai devant. Déterminée et terrorisée. Olivier s'élança vers moi, Eliaz leva la main et envoya son frère dix pas plus loin, contre un arbre. Un frisson intense, douloureux, me traversa. Surprise, je lâchai le pot qui tomba au sol, sans se briser heureusement.

– L'esprit d'Azenor se réveille ! cria Eliaz. Ael, Maria, faites ce que vous a dit Lusia, je vais la retenir jusqu'à la quatrième heure.

Le parfum de fleur d'oranger s'accentua, se répandit tout autour de nous. Je ne parvenais pas à détacher mes yeux du corps d'Olivier, qui gisait inanimé. Ainsi, tous les Lordremons avaient bien un pouvoir. Seul Yann n'avait pas encore montré le sien… Mais il avait dû s'en servir dans ses activités de résistant…

J'attendis… Encore et encore. Eliaz frémissait, ne cessait de bouger les lèvres, murmurant une litanie magique dont je ne saisissais pas les paroles.

Ael ne bougeait plus, les yeux fermés. Le soleil brillait haut, maintenant. Il faisait chaud. Enfin, ce fut l'heure. Je ramassai le pot, fixai ma montre encore une fois.

– Ael ! criai-je. C'est le moment !

Je débouchai le pot, jetai le bouchon en liège et versai le contenu sur Azenor au moment précis où Ael écrasait le médaillon avec son couteau. La potion de Lusia brûla comme un acide le corps d'Azenor. Une fumée se dégagea alors, fine, âcre et jaune. Il ne resta bientôt plus qu'un cercueil vide au fond du trou.

La même fumée s'éleva du centre du pentacle et le bijou disparut entièrement à son tour. Une fois les dernières volutes dissipées, je tins à m'assurer qu'il n'y avait plus rien, réellement, en fixant l'un après l'autre, pendant longtemps, le cercueil et le pentacle.

Enfin, je me jetai dans les bras d'Ael. Il m'encercla convulsivement. Eliaz se releva lentement et se dirigea vers Olivier. Il se pencha, posa sa main sur la poitrine de son frère.

— Il va bien, son cœur bat normalement, nous rassura-t-il. Tout est fini. Azenor est partie.

Soudain, Ael glissa, tomba à genoux et jeta le couteau loin de lui. Il était affreusement pâle, vidé de toute énergie. Olivier rouvrit les yeux au même instant.

— Ael, dit Eliaz, je sais combien cela a dû être dur… Perdre ta mère une seconde fois… Je vais replacer la dalle, repose-toi.

— Je vais le faire, dit Olivier.

Il était redevenu lui-même, manifestement. Ael s'écroula à terre, anéanti par l'épuisement. Plus tard dans la journée, Olivier et Eliaz chargèrent le corps de Joakim dans la Citroën et roulèrent jusqu'à la partie la plus reculée des falaises.

J'ignore ce que les deux frères se dirent une fois là-bas. Adossée aux rochers dans la lumière oblique de la fin de journée, je me répétais que tout était fini, bel et bien fini.

Épilogue

Août 1944

Je fêtai mes seize ans, et Ael ses dix-sept. Désormais, des chasseurs bombardiers survolaient en permanence Saint-Rieg et Saint-Thomas. Les gens se barricadaient chez eux. Nous savions que les bombes et les obus tombaient sans répit sur Brest. Je pensais à Lénaïg, j'espérais qu'elle s'en sortirait.

Une nuit, Weiss partit discrètement avec ses hommes. Par ma fenêtre, je le vis serrer la main d'Olivier avant de monter en voiture et s'éloigner. Puis des chars américains traversèrent Saint-Rieg. Les avions continuèrent leur balai aérien. Nous pensions que nous ne risquions rien car nous étions trop loin de Brest, nous les plus jeunes…

Olivier ne parlait pas de ce qui s'était passé, comme s'il avait oublié. Il avait à nouveau l'air serein, et au village, il soignait beaucoup de réfugiés venus de Brest qui acceptaient avec reconnaissance ses attentions. Ils ignoraient tout des enfants des Dieux, des fées, du passé et de la nature des Lordremons.

Bleunvenn paraissait elle aussi avoir tout oublié de la possession dont elle avait été victime. Elle était restée quatre ou cinq jours hébétée, perdue. Peu à peu, elle était redevenue elle-même. Après le départ des Allemands, Yann se réinstalla au manoir avec Lusia. Je sentais qu'il allait de mieux en mieux, son visage était moins pâle et ses yeux bleus brillaient dès que Lusia se tenait à ses côtés. Olivier leur avait octroyé tout le deuxième étage.

Ael dormit trois jours et trois nuits d'affilée après l'affrontement avec Azenor. Je le veillais quand je ne dormais pas moi-même. Olivier vint lui prendre le pouls très régulièrement. Il repartait après m'avoir souri et caressé le front de son fils. Eliaz passa aussi plusieurs fois, et regarda Ael dormir, assis à mes côtés, en silence.

Puis, comme si un voile s'était déchiré, Ael se réveilla et parut me scruter de ses yeux envoûtants.

— Je distingue ta silhouette, murmura-t-il. C'est encore si flou, mais…

Mais c'était un début… Un après-midi, je retrouvai Deniel à la grotte. J'y étais allée, un peu par hasard, un peu avec l'espoir de l'y retrouver. Il me sourit un peu sèchement.

– Joakim a disparu un soir et n'a jamais reparu, dit-il. Je suppose que vous avez fait ce qu'il fallait… non ?

– En effet, dis-je laconiquement.

– En période de guerre, reprit Deniel, songeur, les gens disparaissent ; et les villageois se demandent s'il a rejoint les forces françaises libres ou les Allemands… Il était tellement secret, n'est-ce pas… Et pour toi, comment ça se passe au manoir ?

– Très bien. Les jours de grand soleil, Ael parvient à distinguer les silhouettes des gens et les contours des choses.

– Comme si le sortilège se levait, dit-il avec un sourire que je jugeai amer.

Il n'ajouta rien et nous en restâmes là.

Par un après-midi étouffant, Ael et moi nous nous promenâmes malgré l'interdiction d'Olivier. Nous ne supportions plus de rester enfermés, en attendant que passe le danger. Ael marchait à côté de moi, bras nus sous le soleil ardent. Ses cheveux noirs, coiffés en arrière, dégageaient ses traits sublimes et ses yeux violets qui guérissaient doucement. Il se taisait, comme d'habitude. À gauche, les feuilles des arbres bruissaient légèrement. À droite, s'étendaient des prés et au-delà, la mer.

Soudain, je le vis. Un avion isolé. La main d'Ael serra fortement la mienne, tandis que l'avion fonçait vers nous. Il y eut un éclair aveuglant, puis le silence. Le bombardier avait disparu, rien n'était détruit, aucune fumée ne montait vers le ciel, nous n'étions pas blessés. Que s'était-il passé ? Avais-je rêvé ?

Et je pensai que j'aimais Ael à un point incommensurable, que je ne supporterais pas de le perdre. Lut-il mes pensées malgré mon interdiction ? Toujours est-il qu'il m'entoura de ses bras et m'embrassa. Je lui rendis son baiser.

Désormais, en compagnie des Lordremons, de ces gens étranges et attirants, en compagnie de mon Ael, quelle allait être ma vie ? Et quels pouvoirs est-ce que je détenais ?

Bientôt disponibles :

Le pouvoir des fées, tome 2

Le royaume des fées, tome 3

www.AdA-inc.com
info@AdA-inc.com